新潮文庫

きみはポラリス

三浦しをん著

目次

きみはポラリス

永遠に完成しない二通の手紙

アパートのドアが乱暴に叩《たた》かれたのは、すべてがつるりと滅菌されそうなほど、寒さの厳しいある昼下がりのことだった。

「おーい、岡田《おかだ》ぁ。いるんだろ？」

狭い台所のコンロには、インスタントラーメンの入った小鍋《こなべ》が載っている。白く細かい泡が鍋の縁からこぼれそうになったところで、卵を割り入れた。鍋のなかが小康状態を保ったのを確認してから、ドアを開けてやる。

「遅い！」

寺島良介《てらしまりょうすけ》がいつもどおり強引に、しかしきちんとそろえて靴を脱いで、室内に上がりこんできた。

「なに。俺、これから飯《めし》食うんだけど」

鍋のまえに戻り、火を止めてかやくを振った。寺島はそのあいだ、六畳間の万年床を勝手に隅に押しやって畳に座り、小さな卓袱台《ちゃぶだい》のうえを片づけている。

小鍋を持って台所から六畳間に移動すると、気を利《き》かせた寺島が、鍋敷きがわりに漫画雑誌を卓袱台に置いた。そして向かいから鍋を覗《のぞ》きこんで、「うまそうだな」と言う。

「最後の一袋だから」

「いや、腹が減ってるわけじゃない」

「なに」

「ん？」

「なんか用があんだろ」

「うん」

寺島は持参した紙袋のなかから、買ったばかりらしい便箋《びんせん》と封筒を出した。どちらも薄い水色だ。彼は卓袱台を掌《てのひら》でぬぐってから、神妙な手つきで便箋を一枚抜いた。

「岡田、頼む！　手紙書くのを手伝ってくれ！」

こいつ、また……と思いながらラーメンをすすると、「ちょっとちょっと、汁が飛ぶだろ！」と寺島は怒る。

「ここはだれの部屋だ？」

「……岡田勘太郎《かんたろう》くんの部屋です」

「俺は俺の部屋でラーメン食ってるだけだ。いやなら来んな」

腕で便箋を覆《おお》うようにしながらも、寺島は静かになった。

「おまえ、ほんっとに惚《ほ》れっぽいよな」

ラーメンを冷ますついでに、ため息をつく。「今度はどんな女だ」

「OL」

「OLって死語だよ。どこで会った」

「合コン」

「また合コン行ったのか！　やめとけって言っただろ？　行くたんびにベタベタベタベタベタ、ハエみたいにいともたやすく捕獲されやがって」

「しょうがないだろ、絶対に参加してくれって友だちに頼まれるんだから！　それから、ハエ取り紙のことを言いたいのかもしれないけど、それも死語だよ！　死物《シブツ》だ！」

部屋にしばらく沈黙が落ちた。寺島はもぞもぞと足を動かしていたが、やがて言った。

「なあ、今度はちがうんだよ。洋子《ようこ》さんは、優しくていいひとだ。俺は本当に好きになった」

「よかったな。そうやって何度でも恋をしたまえ」

「まじめに聞け」

「聞いてる。だいたい、なんで手紙を書くわけ」

「俺の思いを伝え……」

「電話でもメールでも直接会ってでもいいだろそんなもん！　いまどきラブレターって、それ相手は絶対に引くぞ！」

「この真剣さは、手紙じゃなきゃ伝わらない！」

「なに言ってんだ。レポートも自分一人じゃ書けないくせに」

「だからおまえに頼んでるんだろ！」

「いばることか、それ！」

憤然と立ちあがって、小鍋を流しにつっこむ。寺島の脇《わき》を乱暴にかすめてよぎり、畳に転がっていた煙草《たばこ》の箱を拾った。思う存分肺まで煙を吸いこむと、少し冷静になることができた。

「寺島、おまえね。いままでどんだけ俺に迷惑かけてきたと思ってる。すぐに女を好きになって、そのくせ相手が本気になると、急にびびって逃げちゃうだろ。そのたびに俺のところに苦情が来るんだよ。『岡田さん、寺島くんと親しいですよね？』。幼なじみだからって、なんで俺がおまえの尻拭《しりぬぐ》いせにゃいかんのかっつうの」

「洋子さんとは、そんなことにはならない。俺は本気だから」

寺島はまだなにも書かれていない便箋にじっと視線を落とし、思いつめたように言うのだ。

腐れ縁というのは、いつまでたってもそれなりに食える納豆みたいなものなのか。そろそろ跡形もなく土に還《かえ》ってほしいと思うのに、頑固に発酵をつづける。見てくれと内面が乖離《かいり》した情けないこの男を、突き放すことがどうしてもできない。

丸められた万年床の下から、灰皿を探りだし、煙草を消した。

「わかった。手伝おう」

もう一度、卓袱台を挟んだ位置に戻って座ったら、寺島はすごく嬉《うれ》しそうな顔をした。

「助かる。洋子さんには、絶対にラブレターが有効だと思うんだよ」

「なんで」

「もうすぐ三十だし、おとなしいひとだから」

「そういうのを偏見という」

寺島は「うんうん」と聞き流し、「ボールペン貸して」と言った。

寺島は、いちいち声に出しながら文章を書く。

「『内村《うちむら》洋子様。お元気ですか？　先日は楽しかったです。今日は、どうしてもお伝えしたいことがあって、手紙を書いています。僕は』」

「ちょっと待て」

早くもこらえきれなくなった。「『僕』ってなんだ、『僕』って。気色悪いからやめろ」

「じゃあ、なんて言えばいいんだよ」

「ふだんどおりに『俺』でいいだろ」

「乱暴じゃないか？」

いらいらさせられることこのうえない。「それなら『小生』とでもしておけば」と言ってやると、寺島は「僕」にバッテンをつけ、「俺」と書き直した。

「せめて修正液ぐらい使えよ！」

「これはまだ下書きだからいいんだ！」

「……どれだけこの部屋に居座るつもりなんだ、おまえは」

寺島の耳は、抗議をそよ風に変える術《すべ》を知っている。それは彼の耳殻《じかく》をなでるだけで、決して脳髄までは到達しないのだ。

「『俺は、このあいだあなたの話を聞いてから、いろいろ考えました。なにか俺にできることはないかなとか、そういうことです。』」

「寺島、寺島」

「ん？」

「念のため確認するけど、『このあいだ聞いたあなたの話』って、具体的にどんなことだ」

「洋子さんは、いま大変なんだ」

寺島はボールペンを止め、視線を上げた。「お父さんは早くに亡《な》くなって、お母さんが洋子さんと弟を苦労して育ててくれたそうなんだけど、そのお母さんが病気で入院しちゃったんだ。洋子さんは仕事と看病で忙しいのに、そのうえ弟がやってた小さな店がつぶれて、借金取りも来るらしくてさ」

「それ、絶対からかわれてる」

いつものことながら、寺島のまぬけぶりにはあきれる。「そんな女が、なんでのんびり合コンなんかに参加してるんだよ。なんだ、そのベタな身の上話は」

「どうしてそう疑い深いんだかなあ。洋子さんが嘘《うそ》をつく必要が、どこにある？　俺なんかだましても、なんの得にもならないだろ」

「ああそうだな。そのうち学生ローンで金借りてこいって言われるかもな」

また怒るかと思ったのだが、寺島は笑った。

「それでもいいよ。とにかく、洋子さんが言ったことが、俺にとっては本当のことだ」

「寺島くん、教えてあげようか。そういうのは恋じゃなくて宗教っていうんだよ？」

可能なかぎり優しく教えさとし、また煙草を吸った。まともにつきあってなどいられない。

寺島は再びボールペンを動かしだした。

「『でもそれは、あなたのためにじゃないんです。俺が、なにかしたいだけです。あなたのために。』」

「論旨が混乱してきてるぞ」

指摘しても、寺島は夢中で書きつづける。

「『あなたのことを考えると、俺はなんだか』……なあ、岡田はどういうときに、さみしいなあと思う？」

「うまい飯を食い終わったとき」

「これ、ラブレターなんだが。もうちょっとほかにないか？」

どうしておまえに、さみしさを打ち明けなきゃいけないんだ。そう思ったが、寺島は期待に満ちて返事を待っている。とりあえず考えてみた。

「そうだな……。線路沿いの道を歩いている。夕暮れ時だ」

「うん」

「何本もの電車が、俺の脇を通りすぎる。たくさんのひとが自分の家へ運ばれていくのが、電車の窓ごとに一瞬だけ見えては、すぐに俺を追い越す。車内にはもう明かりがついてるんだ。電車のなかが、とても静かなことがわかる。俺の歩く町も静かだ。電車だけが、光の帯を引いて、人々をたくさん乗せて、音を立てて走り去る。そういうとき、俺はなんだかさみしい気持ちになるような気がする」

寺島はうつむき加減で、肩を震わせていた。

「なぜ笑う」

「いや、笑ってない。ちっとも」

「笑ってるだろう！」

「笑ってない！」

寺島は卓袱台を掌で叩き、ようやく真っ正面から視線を合わせた。「ごめん、ちょっと笑った」

そう言った直後に、寺島は遠慮なく笑いはじめる。

「だってさあ、いつも『白、黒、白、黒』って感じの岡田が、『通りすぎる電車を見るとさみしくなるの』って、そりゃおかしいだろう。いまの発言を聞いたら、おまえを知ってるやつは間違いなく全員笑うね」

寺島のように無神経で鈍感なバカに、さみしさを感じる心の機微《きび》がわかるわけがないのだ。言うんじゃなかった、と後悔した。手伝ってくれと泣いて頼むから協力してやったのに、失礼じゃないか。

「もういい。帰れ」

寺島は、その言葉に感電したみたいに素早く正座し、背筋をのばして手紙のつづきに取りかかった。

「『あなたのことを考えると、俺はなんだか、夕方に通りすぎる電車に、たくさんひとが乗ってるのを見たときみたいに、さみしい気持ちになります。』」

「意味がわからない！　文才がない！」

「そんなこと言ったって……。さみしさについての岡田の説明が長すぎんだよ」

「『あなたのことを考えると、俺はなんだか、さみしい気持ちになります。夕闇《ゆうやみ》のなかを通りすぎていく、電車の窓の明かりを見たときのように。』とでもしておけ」

「おおー」

寺島は素直に、自分の書いた文章を直した。目を伏せて便箋に向かう表情は、とても純粋だ。眠っているみたいにも、なにか深遠な謎《なぞ》を解こうとしているみたいにも見える。

煙草をくわえ、寺島から視線をはずした。狭い部屋の天井付近に、白い煙が薄くたゆたっている。

「『どうしてだろう、と俺はずっと思っていました。ここ一週間、ずっと考えてました。』」

寺島のぶつぶつ言う声が、またひとしきり、部屋に低く響いた。「『それで、やっとわかったんです。俺は、つまりあなたのことが、好』、うおー、書けねえ！　恥ずかしい！」

「おい、ペン先つぶすなよ」

寺島の手はぶるぶる震え、あまりの筆圧で便箋が破けてしまいそうだった。「果たし状じゃないんだからさ」

「なんでそう落ち着いていられるんだよ、おまえは！」

と、寺島は理不尽なことを言いだした。

「俺が落ち着いてるように見えるか？」

「見える」

「そうか。だとしたら、答えは簡単だ。おまえが書いてるのはおまえのラブレターであって、俺のじゃないからだ」

「『つまりあなたのことが、好きです。とても好きです。』！」

寺島はやけになったらしく、一気に重要な部分を書くと、大きく息を吐いた。

「完成か？」

「まだだよ。なんでそう、早く帰ってほしがるわけ。あ、彼女が来るのか？」

「来ない。いまいない。知ってるだろ」

「『あなたは、このごろいろいろあって疲れたし、なんだかさみしい、と言いました。』」

寺島は手紙のつづきを書き、「知ってるけどさ」と言った。

「岡田はなんだかんだいって女に人気あるし、新しい彼女ができたのかと思った」

「俺は今日は、掃除と洗濯をしようと思ってたんだ」

「してくれよ。俺がこの手紙を書き終わってから。そうだ、岡田も手紙を書けば？だれか好きな子いないの？」

「よく、そう次々と好きな相手ができるよな」

残酷さを愛するのを信条としている。だからたまに、無神経を装《よそお》って残酷にふるまいたくなる。寺島の無意識の残酷さでつけられたのと同じだけの傷を、返してやりたくなるのだ。

「おまえがしょっちゅう言ってる『好きだー！』と、俺が心のなかで定義する恋とは、まったくちがう感情のような気がするね」

寺島は反論せず、長く黙っていた。表が暗くなりつつあるのに気づき、立って蛍光灯の紐《ひも》を引っぱっても、灰皿の中身を空けに台所へ行き、ついでに茶をいれたコップを持って戻っても。寺島は便箋を見てなにか考えながら、コップに手をつけもせず黙っていた。

間がもたなくて、たてつづけに煙草を三本吸ったところで、寺島がようやく口を開いた。

「ちょっとちょっと、吸いすぎだろ、いくらなんでも！」

「ここは俺の部屋だ」

「においがつくんだよ、便箋に！」

寺島は少しでも煙から遠ざけたいとばかりに、卓袱台に出しっぱなしにしていた便箋と封筒の束を畳に下ろした。それから、冷めかけていた茶を一息にあおった。

「俺だって本当はわかってる。すぐにだれかを好きになるのは、だれのことも好きじゃないってことだ。時々、こわくなるよ。俺、ずっと一人のままなのかなあって」

「ちょっと聞くが」

放っておくと、寺島が安っぽいセンチメンタリズムの泥沼に沈んでいきそうだったので、しかたなく質問した。「じゃあ、おまえの考える『一人じゃない状態』って、どんなのなんだ」

「そりゃあさあ……」

寺島は蛍光灯の紐のあたりに、うっとりと視線をさまよわせた。「たとえば洋子さんと結婚して、子どもができて、ずっと一緒に幸せに暮らすんだよ。喧嘩《けんか》することもあるだろうし、会社で失敗して『あーあ』って思うこともあるだろうけど。でも、俺が帰ってくると、家にはいつも電気がついててさ。クリスマスの時期には洋子さんが、玄関先に光るサンタの人形とか豆電球のついたモミの木とかをきちんと飾ってくれてさ」

「率直に言って悪夢だぞ、それ」

煙草を吸いすぎたせいか、頭痛がしてきた。「わかってはいたが、ほんっとうにつまんない男だな、おまえは。どの女とも長続きしないわけだ」

「どうせ俺はつまんないよ！　一人でさみしく年とって死にますよ！　それでいいんだろ」

「俺がずっと一緒にいるよ」

「え？」

「つづき。『俺がずっと一緒にいるよ』。ほら、ちゃっちゃと書け」

「ああ、うん」

寺島は老後への憂《うれ》いを一時棚上げし、眼前の恋心へまた意識を集中させた。「『俺がずっと一緒にいるよ。あなたと一緒にいたいんです。よかったら今度、どこかに行きませんか。水族館はどうですか。このあいだ友だちと行ったんだけど、とてもおもしろかったです……』」

手紙はまだまだ終わりそうにない。やっていられないな、と思った。本当にやっていられない。

灰皿は再び吸い殻でいっぱいになった。外はもうすっかり夜だ。

ストーブが不規則に赤い炎を上げるようになったので、一回スイッチを切って、灯油を注ぎたした。ライターで点火する。親指を焦《こ》がしそうだ。部屋にあたたかさそのもののにおいが充満する。

寺島は眠っている。卓袱台につっぷして眠っている。下書きを終えたところで力つきたのだ。

寺島の腕の下から、数枚の便箋をつまみとった。汚い字の羅列。何度も書き直した跡。

読み返すと笑えた。

「やっぱりバカだよ、こいつ。水族館についてこんなに詳しく説明したら、もう行く意味ないだろ」

便箋をそろえ、卓袱台に戻す。

寺島の髪の先に、小さな煙草の灰がついていた。消えやすい雪に対するように慎重に、指でそっと払ってやった。

寺島。俺の手紙は、永遠に投函《とうかん》されることはないんだ。

それは俺の心のなかで、ひそかに、囁《ささや》くように、つづられていくだけなんだ。

窓辺に座り、眠る男をしばらく眺めた。それから細く窓を開け、煙草の最後の一本に火をつけた。

肺から吐きだされた煙と息は、白く混じりあい、だれにも解読できない文字のような軌跡を描いて、冬の夜空にのぼっていった。
おしまいの一筋が闇に溶けるまで、岡田は窓辺から動かずにいた。
冷たく清浄な空気ですべてが覆われた、寒さの厳しいある日のことだった。

裏切らないこと

急いで帰らないと、勇人《ゆうと》を風呂《ふろ》に入れるという楽しみを逃すことになる。

そう思って、バス停からの道を小走りで家までたどりついた俺は、とんでもないものを目撃してしまった。

恵理花《えりか》が床に額《ぬか》ずくようにして、勇人の小さなペニスを口に含んでいたのだ。

そんなことをされてるというのに、風呂上がりの勇人はいつもどおりご機嫌で、元気よく脚を曲げ伸ばししている。恵理花はペニスから唇を離し、勇人の顔を覗《のぞ》きこんで、優しく満足げに微笑《ほほえ》んだ。そしてなにごともなかったかのように、すっぽんぽんの勇人の体に、かぶれ止めのパウダーをはたきはじめる。

庭木が目隠しにはなるが、通りに面して明々《あかあか》と電気の灯《とも》る居間で、いったい恵理花はなにをしてるんだ。いくら急いていたからとはいえ、縁側から居間に直接入ろうとしたことを、俺は心底後悔した。赤ん坊のペニスをしゃぶるような妻を、はたして俺はこれからも変わらずに愛しつづけられるだろうか。

そう思いつつも、足音を立てずに後ずさり、「ただいま」と言って玄関から帰宅しなおした俺は、なんだかものすごく欲情しているのだ。憤《いきどお》っても驚愕《きょうがく》しても、結局は興奮に変換する自分を、讃《たた》えればいいのかあきれればいいのか混乱は深まる。

最近ちょっと、仕事が忙しすぎたのかもしれない。さきほどの光景は、溜《た》まった疲労が見せた幻ってことはないか。のろのろと靴を脱ぐあいだに恵理花が玄関に顔を出し、「おかえり」と笑った。

「ざーんねん。勇人が待ちきれないって騒ぐから、もうお風呂に入れちゃったよ」

居間にはほのかなぬくもりと湿気が籠《こ》もっていた。赤ん坊と牛乳石鹼《せっけん》の香りが混じりあった空気は甘い。

「そっか。ごめんな、手伝えなくて」

恵理花を直視できないまま、手を引いて抱えこむように一緒に床に座る。タオル地のパジャマを着て寝かされていた勇人が、俺たちを見上げて「あー」と言った。

「おかえりの挨拶《あいさつ》」

恵理花が愛《いと》おしそうに、勇人の頰をつつく。いつもだったら俺も、ひとしきり勇人を撫《な》でたり眺めたりして過ごすのだが、この夜は我慢ができなかった。

「なあ」と言って恵理花に腕をまわし、エプロンの紐《ひも》をほどく。

「ちょっと健《けん》ちゃん、どうしたの」

恵理花は驚いたようにもがいて、「ご飯まだなんでしょ」「ここではやだ」などと言っていたが、しまいには諦《あきら》めて力を抜いた。

「もう、勇人が見てるよ」

「大丈夫大丈夫、赤ん坊だからわかんないって」

むしろ見せつけてやれと思って、俺は嫉妬《しっと》してるのか、と気づく。肝心の勇人はというと、揉《も》みあう両親の動きが楽しかったのか、最初はこちらを見てきゃっきゃと笑っていたが、飽きたらしく手足をばたつかせはじめ、そのうち勝手に眠ってしまった。手のかからない息子で、本当に助かる。

これで二人目ができちゃったら、夜のバイトでもしないと生活費が足りないなと思いながら、乱れた服を直した。台所で鼻歌を歌っていた恵理花が、みそ汁の椀《わん》を居間に運んでくる。活火山もかくやとばかりに、椀からは白い湯気が盛大に立っている。みそ汁を沸騰《ふっとう》させるのは恵理花の悪い癖だが、極限まで腹が減っていたので、文句は言わずに食卓についた。

「よく寝てるな」

「今日はちょっと長く散歩したし、疲れたんだと思う」

「散歩って言ったって、勇人は歩かないだろ」

「外に出るだけで、赤ちゃんには刺激があるんだよ」

眠る勇人を横目に、恵理花と向かいあわせで飯を食う。

恵理花は、「そうだ、忘れてた」と食事の途中で箸《はし》を置き、冷蔵庫からホタルイカの酢の物が入った小鉢を取りだした。

「スーパーにあると、つい買っちゃうのよね」

「おまえ、これ好きだよな」

「うん」

嬉《うれ》しそうにホタルイカを咀嚼《そしゃく》する、恵理花の口もとからさりげなく目をそらす。ホタルイカの形状は、赤ん坊のペニスになんとなく似ているような気がしないでもない。


恵理花の行動がどうにも引っかかってたまらないので、翌日さっそく、会社の同僚にそれとなく聞いてみることにした。

しかし話題が話題だし、セクハラと受け取られては大事《おおごと》だ。だれに聞けばいいものかと、営業所の面々を慎重に見極め、パートの柏崎《かしわざき》さんなら大丈夫だろうと結論づけた。俺よりも確実に十は年上で、わりと開けっ広げな性格で、子持ちで、女性だ。きっと経験に基づく助言をくれるはずだと、すがる思いで昼休みに声をかけた。

折良く、ほかのやつらは弁当を買いにいったり、外回りに出たきりだったりで、小さな営業所内には俺と柏崎さんしかいなかった。

「柏崎さんて、お子さんいらっしゃいましたよね」

「いるわよー、二人」

サンドイッチを片手に、柏崎さんは猛然と伝票を選《よ》り分けている。

「舐《な》めましたか」

「なにを」

「赤ちゃんのときのお子さんを」

「岡村《おかむら》くん、舐めてないの？」

逆に聞き返されて、少したじろぐ。柏崎さんは伝票をめくる手をとめ、俺のほうをじっと見ている。

「まあ、それなりには」

「でしょ？　赤ん坊って舐めたくなるわよね。うちの旦那《だんな》なんか、『かわいいなあ』ってベロベロ舐めまくって大変だったよ」

そういうもんなのか、と内心で驚いた。勇人のことはたしかにかわいいが、俺はそこまで激しく舐めたりはしていない。たぶん。

「いまじゃ、『お父さん嫌い』って言われて、お風呂にも一緒に入ってもらえなくて泣いてるけどね。あはは」

そこに至って、我が家との重大な相違点に気づいた。

「お嬢さんでしたっけ？」

「そう、うちは二人とも女の子」

なんだ、それではあまり参考にならない。父親の娘への接しかたは、この際どうでもいいのだ。柏崎さんの旦那が、どの程度娘を溺愛《できあい》しているのかについては、興味はない。父親としての理性の枠内でだろうと信じたいし、信じるしかない。

俺だって娘ができたら、勇人に対するのとは比にならないぐらい舐めてかわいがるかもしれないが、だからといって娘のあそこに触《さわ》れるだろうか。触らないことには、赤ん坊のおしめの世話などできないが、それにしても照れというか遠慮が先立って、なかなか慣れるもんじゃないことは、容易に想像がつく。

俺が知りたいのは母親の、息子への接しかたなのだ。

黙りこくっていると、柏崎さんはサンドイッチを飲み下し、

「なによ岡村くん。どうかしたの？　育児ノイローゼ？」

とちょっと心配そうに聞いてきた。

ここまで話を振ったのだから、もう最後まで尋ねてしまえ。恵理花の行動が常識の範囲内にあるものなのかどうか、他者の意見をたしかめずにはおられない。俺は覚悟を決め、腕組みをほどいた。

「実はですね。妻が息子の、その、あれを舐めてるというかしゃぶってるというか、とにかく口に含んでるところを見てしまったんですよ。どうですか柏崎さん、柏崎さんでもそうしてみますか息子さんがいたら」

一気に言いきり、なんだか息苦しさを感じてネクタイを少しゆるめる。

俺の剣幕に押されたのか、柏崎さんは事務用椅子《いす》の背に体を預けて反《そ》り返っていたが、

「そうねえ、してみると思う」

と、あっさりと答えた。

「してみるんだ！」

「だってそりゃあ」

再び机に向かい、柏崎さんは伝票を選り分けはじめる。「かわいいじゃない、赤ちゃんのあれって。しかも自分の子なんだしさ。息子を持った母親は、たいがいしゃぶ

ってみてるのとちがう？」

「たいがいってことはないんじゃ……」

柏崎さんに聞いたのがまちがいだった。いや、恵理花だけが特殊な感性の持ち主というわけではないのだと喜ぶべきなのか？ よくわからなくなってきた。

「岡村くんだって、きっとお母さんに舐められてたわよ」

柏崎さんは、うつむいたまま「うふふ」と笑う。

ぞっとしない話だ。かわいけりゃなんでも舐めていいのか、と胸の内で抗議しながら、俺は悄然《しょうぜん》と席を立った。

多くの女性たちの、肉親にあたる異性への親しさの表明ぶりは、以前からどうも俺には理解しかねる部分だ。

高校のときにつきあっていた女は、ものすごいお兄ちゃん子だった。新しいスポーツタイプの腕時計をしていたので、「いいね」と褒《ほ》めたら、

「お兄ちゃんに、おそろいで買ってもらった。誕生日プレゼントに」

と言う。

「誕生日だったっけ？」

つきあっていながら一大イベントを逃してしまっていたのかと、驚いて問うと、

「ううん。私じゃなくてお兄ちゃんの」

　とケロッと答えるから、また驚いた。なんで兄貴の誕生日なのに、兄貴がおそろいの腕時計を妹にプレゼントするんだ。兄妹《きょうだい》で同じ腕時計を嬉々《きき》としてつけてるって、なんか妙じゃないか？

　その女はクリスマスに俺に財布をくれたが、そのときも「選ぶの、お兄ちゃんにつきあってもらったんだ」と言った。俺はもう、どう受け止めていいのか困惑するしかなかった。

「ちょっとあぶないぐらい仲がよくねえ？」

　と聞いても、

「そう？　まあ、仲はいいけど」

　とまるで屈託がない。どうして血のつながった家族である男には、そんなに無防備に絶大な信頼を寄せるのかなと、怪訝《けげん》に感じた。

　大学のときにつきあった女は、まず最初に、

「岡村くんて、お姉さんいる？」

　と確認してきた。俺には兄貴しかいない。そう答えると、

「よかった。お姉さんのいる男って、なにかにつけてお姉さんの話をするから」

と言う。そんなことはないだろ、と笑ったが、女は「絶対だよ」と言い張る。ところがこの女には弟がいて、会話の端々から、弟をなんだかんだと構いつけていることがうかがわれるのだ。

なんなんだ、いったい。

母親が息子を溺愛するというのは、よく聞く。たいていの男は、それを鬱陶《うっとう》しく思うものだろう。

それに加えて、男たちは肉親である女たち——妹や姉や祖母や娘——から、よってたかって愛され、信頼され、おもちゃにされがちなものであるらしい。「お父さんうざい」とか「馬鹿《ばか》だね、この子は」などと言いながら、女たちは明らかに、肉親の男には気安さと油断した態度を見せる。

性的な対象にはならないという安心感からだろうか？　血縁という保護膜がないかぎり、女は男に気を許すことなどしない、ということだろうか？

そうだとしたら、少しむなしくはないか。女も男も。

俺が、女が肉親の男に対して取る態度に神経質なのには、理由がある。子どものころに、不思議な老夫婦に出会ったことがあるからだ。あれはなんだったのかと、折に触れて思い出す。

恵理花と結婚したのは、もちろん彼女のことが好きだからだが、結婚して家族になれば、もしかしたら世の女たちが肉親の男に対するのと同じように、俺に対して無防備になってくれるかもしれない、と思ったからだ。そして、その目論見《もくろみ》ははずれた。

結婚して二年が経《た》つが、恵理花は俺のことをどこか信じていないところがある。二年も一緒に暮らしていれば、狎《な》れもするし遠慮もなくなる。だから、俺の人格や浮気を疑っているとか、そういう問題ではない。もっと奥の部分、魂や本能や肌の裏っかわの部分で、恵理花にとって俺はあくまで「他人」のままなのだった。

他人だから夫婦なのだし、当然のことだ。当然のことだが、それでも俺は歯がゆく、謎《なぞ》に思えてならない。

勇人が生まれてからは、なおさらその思いが深まった。

なぜ女たちは、血のつながった男には深い寛容と信頼を見せ、他人である男には素っ気ないとも言える警戒を見せるのか？

どんなに信頼しても、肉親であるかぎりは、その男は決して自分のものにはならないのに。べつの女から見れば、その男もまた、警戒に値する「他人」でしかないというのに。

本当に不可解な習性だ。

マンションの管理会社には、年間を通してこまごまとした仕事が降りかかる。

建物の定期的なメンテナンスと設備検査の差配はもちろんのこと、糞害《ふんがい》がひどいと訴えがあれば、鳩《はと》よけネット——その名も「ポッポ知らず」——を抱えて駆けつけ、飛び降り自殺があったと聞けば、屋上のフェンスをより高くして住民の動揺を鎮《しず》め、八面六臂《はちめんろっぴ》の大活躍だ。

本社の方針で、営業所は次々に閉鎖と統合の嵐《あらし》に見舞われていたから、いまや俺の所属する営業所だけで、ほぼ県内全域に散らばる物件をカバーしている状態だった。春の引っ越しラッシュを終えても、忙しさにはあまり変化が見られない。

慢性的な人手不足で、ただでさえパンク寸前なところへ、さらに面倒な事態が持ちあがった。県北の市にあるマンションで、玄関の鍵《かぎ》のトラブルがあったのだ。発端は二人の小学生だ。

同じマンションに住むAくんとBくんは、その日も仲良く一緒に下校してきた。エレベーターのなかでランドセルを探ったAくんは、自宅の鍵を持たずに登校してしまっていたことに気づいた。母親がパートに行く日は、Aくんは自分で玄関の鍵を開けることになっている。このままでは、母親が帰ってくるまで家に入れない。

どうしよう、としょんぼりしたAくんに、Bくんは提案した。

「平気だよ。俺、うちの鍵持ってるもん。これでAくんちのドアを開ければいいよ」

子どもの考えは突飛《とっぴ》だ。同じマンションなのだから、きみの家の鍵も俺の家の鍵も同じはず。彼らはなんの疑問もなくそう思い、大人にはない発想を勇んで実行に移した。

そして大変おそろしいことに、なんとBくんの家の鍵で、Aくんの家のドアは本当に開いてしまったのだ。

子どもから話を聞いた、AくんとBくんのそれぞれの両親もぶったまげたが、その報《しら》せを受けた俺たちはもっとぶったまげた。当然のことながら、全戸のドアの鍵はすべて形がちがう。

なにかのまちがいではないかと、そのマンションを担当した鍵の会社の社員が、すぐにすっ飛んでいった。子どもたちの言ったとおりだった。品番も溝の刻まれかたもちがう、まったく別個の錠《じょう》なのに、Bくんの家の鍵で、Aくんの家のドアは開いた。ちなみに、Aくんの家の鍵では、Bくんの家のドアは開かなかった。

運の悪いことに、そのマンションの管理は俺に割り振られていた。俺は即座に、全戸の鍵の取り替えを手配した。マンションは三棟あって、全部で五百戸以上だ。

しかしマンションの住民自治会は、それだけでは納得しなかった。真相究明を求めてきたのだ。俺だって知りたい。

今度は鍵会社に、ほかにも開いてしまう鍵がなかったかどうか、確認するよう指示を出した。マンションからはずしてきた鍵と錠が、鍵会社の倉庫の片隅に山積みされた。一個の錠前に五百個以上の鍵を差しこむことを、五百回以上繰り返すわけだ。

アルバイトも雇い、何日も夜を徹して作業は行われた。指示を出しっぱなしにするわけにもいかないから、俺も作業に加わった。しまいには、あらゆる窪《くぼ》みと出っ張りを見たくなくなり、右手首が腱鞘炎《けんしょうえん》になった。

薄暗い倉庫で、ひたすら鍵を錠に突き刺しながら、恵理花の唇に勇人の小さなペニスが飲みこまれていく光景を何度も何度も思い浮かべた。そのたびに、「なにをやってんだか、俺の嫁は」と、いてもたってもいられない気持ちにもなったし、もっと眺めていたかったと、残念に思う気持ちにもなった。

ほとんど家に帰れない一週間ほどの日々、俺はさびしくてたまらなかった。

まだ泣くか笑うか眠るかしかしない息子は、俺の顔など覚えちゃいられないだろう。恵理花だって、一人きりで赤ん坊の面倒を見て、疲れはてているはずだ。疲れたあまりに、赤ん坊相手にまた妙なことをされても困る。

会いたかった。たった一週間のことなのに、会わずにいたら恵理花と勇人から仲間はずれにされるんじゃないかと、子どもじみた焦《あせ》りを抱いた。短い春休みを終え、クラス替えのある始業式当日に熱を出して欠席してしまったような気分。会いたかった友だちにも会えず、自分だけが取り残されるのではないかと、不安になりながら布団《ふとん》にもぐっているときの気分だ。

そう思って俺はふと、自分にとって恵理花と勇人が、どんなに大切な存在であるかに気づいた。

なにかを、なにものにも替え難い大切なものだと思うのは、ひさしく忘れていた感情だった。小学生のころ、親にねだって買ってもらった自転車や、林に作った秘密基地みたいに、だれにも触らせたくない特別なもの。

恵理花と勇人が自転車や秘密基地とちがうのは、二人が思い出のなかの宝ではない、ということだ。俺が一方的に大切だと感じるだけではなく、俺のことを大切だと感じていてほしいと、願ってもかまわない存在だということだ。

こんな簡単なことに、結婚して子どもができるまで、なかなか気づけなかった。「愛」ってのは、「現在進行形で大切」ってことだったんだなあと、俺は埃《ほこり》くさい倉庫のなかで思った。

もちろん、俺がいくらそう思ったところで、恵理花の思いとはべつの話だ。少しでも顔を見たくて、俺は短い時間をひねりだしては、着替えを取りに家に戻った。勇人を抱いた恵理花は、いつもどおりに俺を出迎え、「まだ当分、忙しいのがつづきそう？」とか、「ちゃんと睡眠取ってね。体を壊しちゃうよ」などと気づかってくれた。しかし基本的に、俺のことなどどうでもよさそうだ。

視線も指先も感情も、なにもかもが勇人に向かっているとしか思えない。俺を気づかう言葉なんて、上《うわ》の空で紡《つむ》いだちぎれやすい蜘蛛《くも》の糸みたいなもんだ。

勇人が生まれるまでは、恵理花の意識は俺に集中していた。少しでも帰宅が遅くなると、「どっかで事故にでも遭ったのかと心配しちゃった」と言った。ところが勇人が生まれたとたん、俺は、「まあそれなりに気にはなるけど、放っておいてもいい存在」に格下げされたらしい。

現金なもんだなと、あきれるやらおかしいやらだ。それでも、恵理花と勇人を大切に思う気持ちに変わりはなかったし、配分にやや不満があるとはいえ、恵理花の愛情を疑うべくもなかったので、「そういうものか」と俺は納得した。

結論として、Bくんの家の鍵でAくんの家のドアが開いたほかは、すべての鍵は片割れの錠以外には効力を持たないことがわかった。ものすごい確率の偶然で、「不良品」の鍵の存在が発覚したことになる。

俺は報告書を作成し、鍵会社の社員とともに、全戸を訪問して陳謝しまくった。子どもの思いつきからはじまった大騒動に、営業所の同僚たちは同情の視線を投げかけてきた。だが俺はしまいには、愉快な気分になっていた。

Aくんと Bくんは、前世で大恋愛でもしたのではないか？　Bくんは大人になったら、宝くじを買ってみるべきではないか？

だれにも知られずに終わるはずだった、ひそやかかつ重大な結びつきを、確実に見つけだしたものがいる。

俺はそこに、神聖さに近いなにかを感じずにはいられなかった。鍵と錠というのがまた、意味深だ。

運命というなら、これのこと。

二つの錠と、その二つを開けられるひとつの鍵を、俺は激務の記念にもらいうけた。もらいうけて、特に置き場所も思いつかなかったので、たまに通勤に使う車の助手席に放りだしておいた。


勇人は首がすわるようになった。

ただでさえ大きく見える赤ん坊の頭が、ぐらぐら揺れるのはこっちとしても心臓に悪い。高い高いをしてやったり、膝《ひざ》に乗せて哺乳瓶《ほにゅうびん》をくわえさせてやったりと、新たな楽しみができた。

勇人が床に寝ころんでいる姿は、大福みたいだ。音の出るおもちゃを、一生懸命に振っていたりする。たまに勢いがつきすぎて、おもちゃを自分の顔に激突させて泣く。見ていて飽きない。大昔のぬるいコントみたいだなあと笑ってしまう。でも、恵理花は勇人の泣き声を聞きつけるとすぐに飛んできて、抱きあげてあやす。

「笑うなんて、意地悪なお父さんよねえ」

と勇人に話しかけながら、俺に向かってからかうように微笑んでみせる。

鍵問題が解決を見たから、平日も夜はゆっくりできる。俺はほぼ毎日、会社からまっすぐ帰宅した。飲みにいったり、遊んだりしたいとは思わなかった。テレビすら、あまりつけない。勇人の相手をするだけで、いくらでも時間をつぶせた。

とはいえ、赤ん坊は寝るのが早い。恵理花は八時には、暗くした寝室で勇人を寝かしつけるようにしていた。夜中に何回か泣くので、そのたびにミルクをあげなきゃならないが、勇人はあまりぐずらず、飲んだら満足してすぐに寝るほうだった。恵理花は母乳の出がよくなかったから、そのうち一回は、俺が粉ミルクを作って、哺乳瓶で飲ませている。

「いいお父さんじゃない」

と、柏崎さんは言った。外回りを終えて、少し遅い昼休みを取ろうと営業所に戻ると、留守番の柏崎さんしかいなかったのだ。

「うちの旦那なんか、夜はグーグー寝てたわよ。都合のいいときしか、娘をかわいがらないいんだから」

「育児はあんまり苦じゃないですね」

それどころか、向いているのではないかと思うほどだ。夜中に泣き声で叩《たた》き起こされようと、ところかまわず排泄《はいせつ》されようと、赤ん坊の世話をするのはなかなか楽しいものだった。

「ただ、いい父親であるのと、いい夫であるのとはべつみたいです」

俺がコンビニ弁当をつつきながらそう言うと、柏崎さんはパソコン画面から顔を上げた。

「あらあら、どしたの？」

「妻があんまりセックスしてくれません」

柏崎さんには、恵理花の行動を目撃して以来いろいろ相談しているので、もう遠慮はない。

勇人が満腹になって眠りにつき、俺もホッとして恵理花の隣で横になる。そうするとこう、ちょっと恵理花に触りたくなってくるときもあるわけだ。少なくともあと二時間は勇人も起きないだろうしな、と。しかし恵理花は明らかに、乗り気ではないのだ。最初は、帰宅したとたんに居間で押し倒したことを怒っているのかと思ったが、そうでもないようだ。

俺は最近、忍耐力がついた。「親になると人間として成長できるよ」などと、営業所の所長はよくもっともらしく言っているが、それはこういうことだったのか？　と、むなしく考えてみたりする。

「そういうもんよ」

と、柏崎さんは聞き分けのない幼稚園児に対するように言った。「母親モードになってるんでしょ。あんまりがっつかないで、そっとしておきなさい」

がっついてなどいない、と言いたかったが、

「そういうもんですかね」

と、うなずいておいた。

週末に、夕子《ゆうこ》さんが遊びにきた。

俺は駅まで車で迎えにいくつもりだったから、「岡村さん」と声をかけられ、振り返ったら門の外に夕子さんが立っていたので、ちょっと動揺した。洗車していたホースを地面に置き、急いで門を開ける。

「電話してくだされば よかったのに」

「いいのよ、タクシーのほうが早いでしょ」

いつもながらマイペースだ。夕子さんは勝手に玄関を開け、話し声を聞いて出てきた恵理花の顔を見るなり、

「あんた、ずーっと家でごろごろしてんの？　子どもの面倒ばっかりで飽きない？」

と言った。

夕子さんは県庁で働いている。恵理花の父親は早くに亡《な》くなっていて、恵理花とその兄は、夕子さんが女手ひとつで育てた。だからなのか、恵理花が働かずにいるということが、どうもうまく理解できないらしい。

「飽きないよ。私、家にいるのが好きだし」

「そんなこと言って、離婚したくなったらどうするの。稼ぎがなかったら身動き取れないわよ」

そう言いながら、夕子さんは恵理花の腕から勇人を抱き取った。

「あの、いまのところその心配はないんで」

俺が口を挟んでも、もう聞いちゃいない。

「勇人ー、重くなったね。あー、腰が痛くてもう限界」

と、恵理花の腕にホイと勇人を戻す。荷物のように目まぐるしく受け渡しされた勇人は、声を上げて笑っている。俺は恵理花と顔を見合わせて苦笑いした。

居間のソファに腰を落ち着け、勇人をあやしながら雑談する。俺がコーヒーをいれたり、夕飯の下ごしらえをしに台所に立ったりするたびに、「恵理花はいい男をつかまえたわね」と夕子さんは言う。

「ふだんはしませんよ。恵理花に任せっきりです」

さすがに気恥ずかしくなって正直に申告したら、夕子さんはわかってるわよと言いたげに、「ふふ」と目を細めた。

そういえば、このひとには娘と息子と、両方いるんだよなと思い当たり、俺は気になっていたことを聞いてみることにした。

「夕子さん」

お義母《かあ》さんと呼ぶと、夕子さんはいやそうな顔をするのだ。「母親にとって、息子って特別なものですか？」

「それはそうでしょう」

「いえ、娘に比べて、という意味です」

俺には兄しかいないので、うちの母親に聞くわけにもいかなかったのだ。

「そうね、娘よりは息子のほうが特別」

と夕子さんは言い、

「お母さん、ひどい」

と恵理花は笑った。

「娘と息子がいる母親は、まずまちがいなくそう答えるわよ」

夕子さんは身をかがめ、勇人が床に落とした布製のボールを拾った。「どっちがかわいいかってこととは、まったく別の話よ、これは」

「お兄ちゃんには甘いもんね、お母さんは」

恵理花はそう言ったが、とりたてて不満でもなさそうだ。夕子さんの拾ったボールを受け取り、勇人の顔のまえで振っている。その顔こそが、「甘い」以外のなにものでもない。

夕子さんは、俺が三時間かけて煮こんだビーフシチューを食べ、泊まっていったらと恵理花が勧めるのも聞かず、さっさとタクシーを呼びつけようとした。俺は急いで、「送っていきますよ」と申し出る。妻の母親に、気の利《き》かない男だと思われてはいけない。

勇人を寝かしつける時間だったので、恵理花は家に残った。てっきり後部座席に乗るものだと思っていたのに、夕子さんは助手席のドアを開け、そこにあった錠と鍵を見てちょっと首をかしげた。

「あ、適当にどかしてください」

テンポと距離感がつかみにくいひとだ。夕子さんは膝のうえに錠と鍵を載せ、シートに収まった。

山の稜線《りょうせん》が空に溶けこむほど、あたりは暗くなっていた。星がよく見える。大通りに出ても、車はあまり走っていなかった。

「息子に愛情を盗《と》られた気がする？」

と、夕子さんは唐突に言った。少し考えて、さきほどの俺の質問の理由を知りたがっているのだとわかった。

「そうじゃありません」

と俺は首を振る。そうではない。

「俺は小学校四年まで、I町に住んでたんですよ」

ここよりももっと山のほうの、小さな町だ。夕方までは、天国のような場所だった。川と畑と林があり、友だちと毎日のように遊びまわった。大切な自転車を買ってもらったのも、秘密基地を作ったのも、I町でのことだ。

だがどんなに楽しくても、日が暮れたら家に帰らなければならない。俺はそれがいやだった。夜がきらいだった。家のなかの雰囲気が最悪だったからだ。そのころ、俺の親父《おやじ》は浮気をしていたらしく、母としょっちゅう激しく喧嘩《けんか》をしていたし、帰ってこないことも多かった。

六つ年上の兄貴は、詳しい事情を知っていたのだろうが、俺はただひたすら、「なんで最近、お父さんとお母さんは怒鳴りあってばっかりなのかなあ」とうろたえていた。

居間で戦争がはじまると、テレビを見ている場合じゃなくなる。そんなときは、隣の前園《まえぞの》さんの家に行って、テレビを見させてもらった。前園さんは、たぶん八十を過ぎていただろう。おばあさんは多恵子《たえこ》さん、おじいさんは喜一《きいち》さんといい、夫婦二人だけで、小さな一軒家に住んでいた。子どもはいないようだった。

若いころはきれいだっただろう、と評される老人はいるものだが、多恵子さんは老いても凄《すご》みのある美人と言えたと思う。田舎の町に似合わない、粋《いき》な感じのするひとだった。「おばあさん」と呼ぶのが、子ども心にためらわれたほどだ。とはいえ、俺は「ばあちゃん」「じいちゃん」と呼んでいたが。

大人になってから母に聞いてみたら、前園さん夫婦はI町の元からの住人ではなく、喜一さんの定年後に、空気のいいところで暮らそうと引っ越してきた、と周囲には説明していたことがわかった。

多恵子さんは少し変わっていて、子どもを子ども扱いしなかった。近所の老人たちはたいがい、どの子にも孫のように接したのに。

うちの両親が揉めていることは、近所のだれもが知っていた。声が丸聞こえだからだ。同情されていたのか、俺を見かけるとよく菓子をくれたりした。噂話《うわさばなし》も、陰では同じくらいしていることを、俺はちゃんと知っていた。

多恵子さんは、そういうことがなかった。無闇《むやみ》やたらに菓子をくれたりもしないし、噂話もまったくしない。俺が夜に前園さんの家の玄関を開けると、

「今夜はまた一段と激しいね」

と、なんでもないことのように笑った。

前園さんの茶の間の様子を、いまでもありありと思い出せる。夏は木枠の掃きだし

窓が開け放たれ、冬は灯油ストーブのうえに置かれたヤカンが湯気を吐いていた。

茶の間の真ん中には小さな卓袱台《ちゃぶだい》があり、喜一さんはそこに肘《ひじ》をついてテレビを見ている。俺が部屋に上がりこむと、黙ってちょっと顎《あご》を引き、どのチャンネルにまわしても文句は言わない。多恵子さんはそばに座って、色鮮やかな糸で和刺繍《わししゅう》をしたり、お茶を飲んでいたりする。

ある夜、俺はドリフの番組を見ながら、

「浮気ってなに？」

と多恵子さんに尋ねた。多恵子さんは新聞を読みつつ団扇《うちわ》を揺らしていたが、

「本気だと誓った相手を裏切ること、かねえ」

と言った。

「ふうん」

よくわからないが、なんかかっこいい答えだ、と俺は思った。「お母さんが電話で、友だちとしゃべってたんだ。『浮気をしない男なんていないってことね』って。そうなの？」

かたわらで無言で足の爪《つめ》を切っていた喜一さんに、多恵子さんはちらっと視線をやった。

「浮気をしない男はいるよ。もっともらしく、『そんな男はいない』という人間は、本気を貫く男にまだ会ったことがないだけだ」

　ねえ、そうだろ喜一。と多恵子さんはくすくす笑いながら言った。喜一さんはちょっと肩をすくめただけだった。俺は、俺の母親が親父の名を呼び捨てにするところなど聞いたことがなかったから、変なのと思った。ばあちゃんは、クラスの女子が男子に話しかけるときと同じように、じいちゃんを呼び捨てにするんだな、と。

「でもまあ」

　と多恵子さんは、団扇を握った指の背で、卓袱台の隅を何度か軽く叩いた。細くて白い、節のない小枝がからからに乾いたような指だった。

「あんたのお母さんは、幸運だとも言えるね。もし本当に、本気を貫く男に会っちゃったら、一大事だから」

「なんで？」

「本気を貫くってことは、一度気持ちがそれたら、もうそれきりってことだ。浮気だなんだって、手軽な刺激をくれる旦那のほうが、よっぽど安心してられるし扱いやすいってもんだ」

　俺が首をひねっていると、

「わかりの悪い子だねえ」

と多恵子さんは微笑んだ。「どういう結論を出すかはわからないが、あんたのお母さんは、まだいくらでもやり直しがきくって言ってるのよ、あたしは。もし本気を貫く男に会ってしまったら、『次』なんてないからね。すべてを捨てて受け入れるか、全力で逃げるか、どちらかしかないんだ。それはけっこう、しんどいことだよ」

テレビから流れるにぎやかな声に、喜一さんが爪を切る音が合いの手を入れた。俺はまた「ふうん」と神妙にうなずき、ブラウン管に顔を向けた。その実、多恵子さんの言ってることとの意味なんて、まったくわかっちゃいなかった。

「多恵子さんから秘密を教えてもらったのは、もう冬になるころでした」

赤信号につかまって、俺は車を停止させた。

田んぼの真ん中の交差点は見通しがいい。ほかに車がいないとわかっているのに、赤い光の言うままに動きを止めているのは、なんだか滑稽《こっけい》だし気詰まりだった。夕子さんは助手席で錠をいじっている。夕子さんの掌《てのひら》から、ふたつの錠が触れあうかすかな金属音がする。

「夕飯を食ってるときに、『離婚するかもしれない』と母が言ったんです。父は一週間ほど帰ってきていませんでした。兄貴はものすごく低い声で、『そう、勝手にすれば』と言った。俺もうなずいたけれど、本当はやはり、少し悲しかったです」

子ども部屋に引きあげてから、俺と兄貴のあいだに会話はなかった。兄貴は漫画雑誌を読み、俺は床でごろごろしていた。母親がいるはずの階下からも、物音ひとつしない。

家のなかの沈黙に耐えきれなくなって、俺はジャンパーを着て立ちあがった。兄貴が「どこ行くんだ」と聞いてきたので、「テレビ見てくる」と答えた。「なんでテレビ見んのにジャンパー着るんだよ」と兄貴は言った。

親父はいないのだから、居間のテレビを見ればいい。でも俺は階段を駆けおり、そのまま玄関から外に出た。山のほうから、冷たい風が吹いてくる。白い息が後方へ流れていくのが、薄い闇のなかではっきり見えた。前園さんの家に明かりがついていたけれど、俺は立ち寄る気にもなれなくて、そのままなんとなく川へ足を向けた。

細い川はさしたる水量もなく、昼間と同じように一定のリズムで地面を二つにわけていた。岩が転がっているところ、少し段差があるところで、水音は変化を見せる。俺は川端にしゃがんで、それにじっと耳を傾けた。寒かったし、飽きっぽい小学生男子のすることだし、そんなに長い時間が経ったとは思えない。

「子どもはもう寝る時間だよ」

と声をかけられて振り仰ぐと、多恵子さんが立っていた。母親と兄貴から話を聞いて、心配した前園さん夫婦も、俺を探してくれていたのだ。

俺が立とうとしなかったので、多恵子さんも俺の隣にしゃがんだ。真っ黒い服のうえに、灰色のショールを巻いていた。橋のたもとにある街灯が、多恵子さんの横顔を照らしだす。皺《しわ》はたくさんあるが、皮膚は白くて柔らかそうだった。

「いじけたってしょうがないだろう」

俺が黙っていると、多恵子さんはため息をついた。寝ぼけた魚が、川面《かわも》に跳ねた。

「あたしのお母さんも、あんたの母親と同じようなことで苦しんでいたよ。そして喜一が生まれた日に、あたしに言ったんだ。『多恵ちゃん、あなたを絶対に裏切らないひとを、お母さまが生んであげましたよ』ってね」

「……え？」

「めずらしく今夜はわかりが早いね」

多恵子さんは、膝に載せた腕に顎をうずめるようにして、横から俺を覗きこんできた。「喜一はあたしの弟だ。同じ父親と母親から生まれた、きょうだいだよ」

「そんなことってあるかしら」

と夕子さんははじめて俺の話をさえぎった。

「さあ……」

俺が駅への道にハンドルを切ろうとすると、夕子さんは「まだ話は終わらないでしょう」と、俺の腕にそっと触れた。そのまま車を直進させ、駅の周辺をぐるりとまわることにする。

「多恵子さんが言うには、喜一さんも多恵子さんも、もちろん最初はべつのひとと結婚して、家庭があったそうなんです」

「でも、戦争で全部燃えちゃったんだよ」

と多恵子さんは言った。「家も、夫も、喜一のお嫁さんだったひとも、子どもたちも」

終戦になり、焼け跡で呆然《ぼうぜん》としていた多恵子さんのもとへ、何度目かの召集で兵隊に行っていた喜一さんが帰ってきた。

「一晩で家族を亡くして、あたしはずっと、どうしていいかわからなかった。悲しいと感じることもできやしない。でも、喜一の顔を見たとたん、喜びがこみあげた。『やっと二人きりになれたんだ』、そう思った。あたしと喜一は、すぐにその町を離れたよ。生まれ育った場所を捨てて、あたしたちがきょうだいだってことを、だれも知らないところへ行くことにした」

「変だよ、そんなの」

と俺は言った。静かな声で話す老女が、得体《えたい》の知れない怪物に思えた。

多恵子さんは暗い川の流れに目をやった。

「変だろうねえ。でもあたしと喜一にとっては、それまでの生活のほうが変だったんだ。あたしたちはずっと、お互いのことが好きだった。お母さんも、黙ってあたしたちを見ていたよ。さすがに、気持ちをおおっぴらにしないだけの分別はあったけど、あたしは結婚するときも、『どうして喜一とじゃないんだろう』とどこかで思っていた」

健ちゃん、と多恵子さんは俺を呼んだ。名前で呼ばれたのは、たぶんそれが最初で最後だったと思う。

「あたしが言いたいのはね、裏切っちゃいけないってことだ。あんたがいま、とてもつらくて、あんたの母親をかわいそうだと思うなら、あんたは本気を貫く男にならなきゃいけない。簡単だよ。このひとだと思ったら、すべてを捨てて、すべてを捧《ささ》げればいいだけなんだから」

さあ帰ろう。多恵子さんは俺の手を取って立たせた。乾いて冷たい指先が、俺の手をしっかり握った。

俺の家のまえまで来ると、「今夜あたしが話したことは、みんなには内緒だよ」と多恵子さんは言った。秘密基地が完成したときの、友だちの表情とそっくりな笑い顔で。

「からかわれたんじゃないの？」

夕子さんは助手席で腕組みする。

「そうかもしれませんね」

あの晩のことを思い返すたびに、俺はなんだか不思議な気持ちになる。「でも、ふと思うんです。同じ名字で一緒に暮らしている男女を見たら、ふつうは夫婦だとひとは解釈する。だけど、きょうだいだって名字は同じなんだ。もしかしたら、多恵子さんと喜一さんみたいなひとは、いっぱいいるのかもしれない。ひっそりと二人だけで、濃すぎる絆《きずな》を結んで生きているひとが」

「この錠前みたいなものかしら」

と夕子さんは言った。見ると、夕子さんの膝のうえでいつのまにか、二つの錠は開いていた。

別々の品番が刻印された錠。見た目は似ているけれど、まったく別個のものだと気のないそぶりをしておいて、実はその二つは、同じ鍵で開くという秘密で結ばれている。血縁という名の秘密で。

本当のことを周囲に隠し、お互いだけを見て生きる。多恵子さんと喜一さんの関係を運命というのなら、運命とはさびしいものだ。

もちろん多恵子さんの愛は多恵子さん自身が選び取ったものだろうし、多恵子さんは自分の気持ちを恥じたりはしていなかった。だが気づいてもいたと思う。

自分たちが、たしかにさだめられた存在だということに。多恵子さんと喜一さんは、愛しあうように育てられた。夫に裏切られ、傷ついていた母親によって。

だから多恵子さんは、俺に教えてくれたんだろう。愛情の袋小路に迷いこまないために、大切なひとを迷いこませないために、どうすればいいのかを。

「俺には女のきょうだいもいないし、母ともお互いにそんなに思い入れはないと思います。だからよくわからなかったんですが、恵理花と勇人を見ていてなんとなく、多恵子さんの話が気になりはじめた」

「やっぱり、息子に愛情を盗られないか心配になったんじゃない」

と夕子さんは言った。

「そうかもしれませんね」

と俺はまた答えた。

「それで、どう？　本気を貫く男になれそう？」

「どうですかねえ。正直言って自信はないです」

でも努力はするつもりだ。安全な「肉親の男」だけではなく、「他人」である俺もまた、信頼に値する男なのだと恵理花に思ってもらえるように。裏切ったり傷つけたりはしないことを、恵理花にわかってもらわねばならない。

駅前のロータリーに車を停めると、夕子さんはドアの内側の取っ手に手をかけ、そこで俺を振り返った。

「県庁の仕事とは直接関係ないけど、ついてはありますよ。その夫婦がなにものだったのか、戸籍を調べてみましょうか」

迷う気持ちがなくもなかったが、夕子さんのその申し出を、俺は丁重に断った。

夕子さんが改札に消えるのを見届けて、来た道を逆にたどる。

夕子さんには言わなかったことがある。

俺はそのあと、とてもうつくしいものを見たのだ。

多恵子さんは春先に倒れ、救急車で運ばれていった。深夜に隣家に近づき、あわただしい気配とともに遠ざかっていったサイレンを、俺は布団のなかでじっと聞いていた。

町にひとつしかない総合病院——といっても、小さな建物だ——に、多恵子さんは一カ月ほど入院していたと思う。喜一さんは毎日のように、バスに乗って見舞いに行っていた。紙袋を手に、ぴんとのびた背筋で川べりの道を歩く喜一さんを、俺はしょっちゅう見かけた。喜一さんは俺に気づくと、あいかわらず無言で、ちょっと顎を引いてみせた。

俺も学校帰りに、たまに病院に寄った。母親は一度決意を固めるとそれで満足したのか、そのころにはすっかり落ち着いていた。逆にあわてだしたのは親父のほうで、家に帰ってくるようになった。

俺がそう報告すると、ベッドに横たわった多恵子さんは、「そうかい」と目尻《めじり》に皺を寄せて笑った。それから俺に、枕元《まくらもと》にあるミカンやらリンゴやらを勧めた。孫に対するように、ではなく、ただ自分があまり食欲がないからのようだった。

きっとあとで喜一さんに、自分で食べたふりで「おいしかった」と言っていたのだろう。真っ白な多恵子さんの髪は、入院中でもいつも綺麗《きれい》に梳《す》かれ、束ねられていた。

ある日の午後も俺は病室を訪ね、六人部屋の入口で足を止めた。室内には多恵子さんと喜一さんのほかに人影はなく、ベッドのまわりのカーテンは半ばまでしか引かれていない。窓からは春のやわらかな日が差していた。

多恵子さんの顔は見えず、喜一さんはベッドのそばに置いた丸椅子に腰かけ、売店で買ったらしき週刊誌を読んでいる。声をかけてはいけない、と俺は察した。だが、目を離すこともできなかった。

「喜一」

と多恵子さんの静かな声がした。シーツのうえを、多恵子さんのあの細く白い指先が這《は》った。

「あんたを一人にしてしまう」

喜一さんは雑誌から顔を上げ、多恵子さんの手に自分の手をそっと重ねた。

「かまわねえよ」

はじめて聞く喜一さんの声はしゃがれていて、しゃべりかたは案外ぶっきらぼうだった。「そう長いあいだのことじゃない」

俺はゆっくりと後ずさり、病院の廊下を走った。背中でランドセルがガタガタと音を立てた。表に飛びだし、バス停で俺は息を整えた。握りあった二人の手が、まぶたの裏にいつまでもいつまでも残った。

多恵子さんは、山の頂《いただき》の雪がまだ溶けきらないうちに死んだ。隣家でつつましく営まれた葬儀に、俺も母と兄とともに行った。近所のひとたちのまえで、喜一さんは淡々と、「生前は妻、多恵子に格別のご厚情をたまわりまして」と挨拶した。

新学期になるまえに、親父の仕事の都合で俺たちはI町から離れた。一年ほどあとに、喜一さんが死んだという話だけは届いた。母は弔電を打った。それからあとは、俺をかわいがってくれた「隣の前園さん夫婦」の話題は、ほとんど出ることはなかった。

そう長いあいだのことじゃない。

喜一さんは言葉どおり、一人で生きる時間をさっさと止めたのだ。

あの二人がきょうだいだったのか夫婦だったのか、いまさら知ったところでなんになるだろう。

二人はもう、どこにも行けはしないのだから。

内緒だよ、と言ったときの多恵子さんの顔。春の病室でひっそりと重なった二人の手。夢のなかで見た光景のように、記憶に刻まれたうつくしいそのシルエットだけで、俺にはじゅうぶんなのだ。そう思えた。やっと、そう思えるようになってきた。

ガレージに車を入れると、待ちかねたように恵理花が家から出てきた。

「遅かったね。どっかで事故にでも遭ったのかと心配しちゃった」

「ごめん。勇人は？」

「もう寝たよ」

寝室に入り、すこやかな寝息を立てる息子を、並んで眺める。

「ねえ健ちゃん。どうしてお母さんに、お兄ちゃんと私とどっちが大事かなんて聞いたの？」

大事か、とは聞いていない。特別か、と聞いたのだ。そう言おうとしたが、恵理花がなんだか心配そうに俺を見ているのでやめた。

「ちょっと不安だったんだよ」

「なにが？」

恵理花はますます、俺の顔を覗きこんでくる。居間から漏れる明かりで、恵理花がとても真剣な目をしているのがわかる。

「健ちゃん、このごろすごく疲れてるみたいだったし。悩みがあるなら言って」

「そうだな。できれば、勇人のペニスをしゃぶるのはやめてほしい」

「いつ見たの！」

と恵理花は体を引き、

「そんなに何度もしてるのか！」

と俺は思わず叫んだ。

シーッと恵理花は鋭く言って、勇人の寝顔をうかがう。

「ちょっと。ちょっとこっち来て」

恵理花は俺の腕をつかみ、居間に引っぱりだした。「もう、ほんとに意地が悪いよ健ちゃん。なんで黙って見てるの」

「あきれて、声をかけるのも忘れたんだ。勇人に変な癖がついたらどうすんだよ」

「変な癖ってどんな癖なのよ」

恵理花はぶちぶち言っていたが、俺を強引にソファに座らせ、自分も隣に腰を下ろした。俺の顔を見て、恵理花は「くふ」と笑う。

「もーう、平気だってば。かわいいから、ちょっと舐めてみただけでしょ」

それでも俺が黙っていると、

「はいはい、やめます。もうしません」

と恵理花は言った。「もしかして健ちゃん、妬《や》いてたの?」

「そういうわけじゃない」

と、俺はちょっと嘘《うそ》をついた。

「馬鹿だねえ」

恵理花はソファのうえで膝を抱え、俺の肩に体重を預けてきた。俺はズボンのポケットを探り、車から持ってきた錠と鍵を「ん」と恵理花に渡した。

「なあに、これ」

「勇人の遊び道具にいいだろ」

「まだ鍵を開けることなんてできないよ。どっから持ってきたの」

俺はここ最近の激務の原因について語り聞かせる。恵理花は、「へえ、そんなことってあるんだねえ」と感心し、鍵で二つの錠を開け、「あ、ほんとだ」と笑った。

今夜はその気になってくれるかなあ、と俺は考える。まあ、焦らなくてもいい。いずれ、もう一人ぐらいは子どもが欲しいなと思うが、いますぐじゃなくていい。

会社が借りあげた家はボロいが、俺はとても幸せに暮らしている。恵理花も勇人も、幸せそうだ。この家はどこか、前園さんの住んでいた家に似ている。古いけれど、穏やかで満たされている。

次は娘もいい。恵理花の体温を腕に感じながら、俺は思う。今度は恵理花が妬くかもしれないが、俺は自分がどうすればいいのかを、もう知っているから大丈夫だ。

きみたちを決して裏切らない。だから安心して、きみたちもだれかを愛すればいい。裏切られ、傷つくことがあっても、恐れずに他者を愛するといい。俺は態度で、俺の大切な家族にそう示しつづけるだろう。

　死ぬまで、飽きることなく。

　裏切らず、本気を貫く。多恵子さんが言ったように、それは本当に、簡単なこと。

恵理花が、勇人が、やがて生まれるかもしれない勇人のきょうだいが、俺を求め望んでくれるかぎり、それこそが俺の幸せであり、喜びになるのだから。

私たちがしたこと

ランチタイムが終わると、厨房《ちゅうぼう》は暇になる。

マスターはカウンターの内側に隠した小型液晶テレビで、再放送の昔のドラマを見る。「すいません」と客に呼ばれても、動こうとしない。しかたないから、私が注文を取りにいく。床はぴかぴかに輝いている。一缶三万円のワックスを悪徳業者にだまされて買ったマスターが、意地になって磨くからだ。

光の射《さ》す窓際《まどぎわ》の席に、古橋《ふるはし》さんが座っている。私がたどりつくまでの時間を利用し、メニューを広げてだめ押しの検討をしている。

古橋さんはいつもそうだ。ランチ客のピークが過ぎたころにやってきて、店に入る前に表のボードで「本日のランチ」の内容をじっくり確認し、席について水を飲みながらメニューを開いてもう一度吟味《ぎんみ》し、店員が注文を取りにくるまでのあいだに、自分の判断に誤りがないかどうか最終的に審査する。

呼んだのが古橋さんだということは、声でわかっている。「しかたないから」と思ったのは嘘《うそ》というか自分への言い訳で、私は本当は嬉《うれ》しくてたまらない。古橋さんがうつむきかげんに、昼ご飯について真剣に考える姿はとてもうつくしい。

私はわざと、古橋さんの背後から近づくコースを選ぶ。Tシャツの襟《えり》から、首のつけねのぐりぐりした骨がのぞいている。あの骨をそっと唇で包み、やわらかく舌でなぞったらきっととても気持ちがいいだろう。

「お決まりですか」

とテーブルのかたわらに立って声をかけると、古橋さんは顔を上げる。

「『春キャベツとアンチョビのパスタ』というのは、春キャベツとアンチョビしか入ってないんですか」

と古橋さんは尋ねる。穏やかで低い声をしている。こういうひとも会社で怒鳴ることがあるんだろうか。会社じゃなくてもいい。酔っぱらって電車のなかで大声を張りあげて歌ったりすることがあるんだろうか。

古橋さんはいつも一人で昼ご飯を食べにくる。文庫本を読みながら食べる。カバーの絵から推測するに、だいたいSFのようだ。あまりにも静かに食べたり読んだりするので、本当は草食で舌がすごく長いキリンみたいな宇宙人が、地球人に擬態《ぎたい》しているんじゃないかと思ったりもする。

しかし古橋さんは、どちらかというと肉食傾向にある。私が「はい」と答えると、古橋さんは「残念だな」と言う。

「じゃあ、『三種のチーズソース』をフェットチーネでお願いします」

旬《しゅん》の素材よりも、カロリーを選ぶことにしたようだ。おなかが減っているのだろう。フェットチーネを少し増量してあげよう。

私は再び「はい」と答える。去り際にどうしても、古橋さんのぐりぐりした骨をまた見てしまう。テレビに夢中なマスターをせっつき、セットのサラダを運ばせる。鍋《なべ》にフェットチーネを投入し、ゆで時間に細心の注意を払う。

私は欲求不満なのだろうか。

そうではなさそうだ。その証拠に、マスターの首のつけねなんて、べつに見たくもない。古橋さんの骨だけが、なんだか気になる。

だからといって、これ以上親しくはなれない。

ここは以前、コーヒー豆をこよなく愛するマスターが、ほそぼそとやっている喫茶店兼定食屋だった。採算が取れず生活が立ちゆかない、と家族からの突き上げを食らったマスターは、駅前の再開発を機に、とうとう今風のカフェに改装する決心をした。雇われ調理人である私も、それにともない、「豚肉のショウガ焼き定食」から「フレッシュトマトとバジルのパスタ」へ、「牛スジ煮込み丼《どん》」から「ポトフセット」へと、料理の路線変更を余儀なくされた。

客足は増えたが、喫茶店兼定食屋時代の常連客は来なくなった。ほとんど唯一《ゆいいつ》の例外が、古橋さんだ。古橋さんだけが変わらず、毎日のように昼を食べにくる。私が注文を取りにいくと、マスターを相手にするときよりも、古橋さんは心なしか緊張気味のように見える。

もしかしたら古橋さんも、私のことを気にしてくれているのかもしれない。メニューについて以外のなにかを話すきっかけを、探しているのかもしれない。そうだったらどんなにいいだろうと思う。

けれど、これ以上親しくはなれない。私の心のなかに、踏み固められた地面が黒々と広がっている。


翌日のぶんの仕込みを終えて、アパートに帰りつくのは日付が変わるころだ。

このごろは美紀子《みきこ》が部屋にあがりこんでいることが多い。今日もブロック塀《べい》のところに見慣れた黒い軽自動車が路駐してあり、玄関を開けると案の定、美紀子が「おかえり」と言う。

「朋代《ともよ》、コーヒーいれてよ」

私がヤカンでお湯を沸かしているあいだ、美紀子は台所の換気扇の下に立って一服する。

「煙草《たばこ》やめないの」

「やめらんないねえ」

私の部屋は、白い布に埋めつくされてしまっている。自分の部屋ではヤニ臭くなるからと言って、美紀子が持ちこんだ作りかけのウェディングドレス。二人で夜毎《よごと》ひたすら針を動かし、裾《すそ》に真珠を模した白いビーズを縫いつける段階にようやく到達したが、まだヴェールに白い絹糸で刺繍《ししゅう》もしなければならないし、いよいよとなったら生《せい》花《か》でブーケを作る必要もある。

美紀子の結婚式まで、あと一カ月もない。未完成のウェディングドレスを着させるわけにもいかないと、仕事で疲れた体に鞭《むち》打って友人孝行しているのに、今夜の美紀子はどうも集中力を欠いている。

「あんたもそろそろ、恋をしたら？」

流しで煙草を消した美紀子が、唐突に言う。私は、カップにお湯を注いでいた手を止める。

「恋、というと、あれッスか。

『田村くん、この書類なんだが、ちょっと変更してほしい部分がある』

『はい、課長』

受け取ったファイルを見ると、『本日十九時、いつもの場所で』とメモが貼《は》ってある。

『わかりました』

微笑《ほほえ》みあう課長とあたし。って感じの、あれッスか。もしくは、

『つきあってもう三年も経《た》つのに、彼ったらクリスマスに東京タワーの見えるホテルを取ってくれて、あきれるやら嬉しいやらで、思わずカーテンを開けっ放しにしたまま激しくまぐわっちゃったわ』

って感じの、あれッスか」

「どうしてあんたの発想は、そうホルモンっぽいのかね」

美紀子はカップを手に取り、ゆらめく湯気に鼻先を寄せる。「そんな肉々しいもんじゃなくてさ。オーガニック系の恋でもしたらと、私は言ってんの。せっかくオシャレなカフェに勤めてるんだから」

「あたしとしては、町の定食屋に勤めたつもりだったんだけど」

精一杯抗議してみるが、美紀子はもちろん聞いていない。カップの中身をすすり、

眉間《みけん》に皺《しわ》を寄せる。

「だいたいなんで、カフェ勤めのくせにインスタントなのよ」

「料理担当なんだもん。コーヒー豆のことは、これっぽっちもわかりません」

ほらほら、作業をつづけよう。美紀子をうながし、白い布の波を挟んで向かいあわせで居間に座る。針を手にして、しばらく黙々とビーズを縫いつける。

「お客さんとかでさあ、気になるひといないの」

美紀子はめずらしく食い下がってくる。自分の結婚が決まった余裕から、他人が幸せかどうかを知りたくなったんだろうか。意地悪く考えてみて、すぐに「そうじゃないな」と打ち消す。友人同士の気軽なよくある話題を装《よそお》って、美紀子の目は決意を宿している。私に質問する機会を、これまで慎重に探していたのだろう。

「気になるひと。いるよ」

「どんなひと？」

「古橋さん。店の近くの会社に勤めていて、ほぼ毎日、ランチを食べにくる」

「いくつぐらい？　なんで名前を知ってんの」

「あたしたちより、少し年上じゃないかな。一回、財布を忘れてご飯を食べにきたことがあったの。レジで真っ赤になってポケットを探って、定期入れのなかにあった社員証を置いていった。『すいません、すぐ会社に戻ってお金持ってきますから』って。いつもラフな恰好《かっこう》だから、フリーターかなんかかと思ってたんだけど」

「なんていう会社？」

「さあ……。カタカナで覚えてない。コンピューターとか通信関係とか、そんな感じの印象だった」

「ふんふん。それで？」

「それでって？」

「ほかにもあるでしょ。その古橋さんが気になる理由が」

「指がきれい。あと、コップやらフォークやらの上げ下ろしが静か」

「……それだけ？」

聞かれて考えてみるが、それぐらいしか古橋さんのことを知らない。

「首のつけねの骨がぐりぐりしている」

「そんなの、だれだってぐりぐりしてるよ」

美紀子は手抜きして、三個のビーズを一気に縫いつける。それからまた立ちあがり、煙草を吸いにいく。私は「そりゃそうだ」と言い、わざとものすごく丁寧に、ビーズを一個ずつ布に縫い止める。

そんな私の手もとを眺めながら、美紀子が暗い台所で笑ったのがわかる。

「このごろの私たちは、なんだか高校時代みたいだね。毎晩のように、くだらないことを話してさ。覚えてる？」

と美紀子は言う。

「覚えてる。長電話したり、家を抜けだして自動販売機の前でたむろったり」

「『矢沢商店』のね。あそこコンビニに変わったんだよ。知ってた？」

「ずっと帰ってないから」

「そうだね、あんたは帰らないね朋代」

しばらく黙って煙草をふかしていた美紀子は、やがて台所と居間との戸口に立ってつぶやく。「恋をしないの？」

「どうして、そこに話が戻るのよ。休憩ばっかしないで、早く手を動かしな。美紀子の結婚式なんだからね」

「黒川《くろかわ》くんを忘れられないからなんじゃない？　あんたが帰らないのも、恋をしないのも」

「ちがいます」

忘れられないのは彼のことではなく、彼と私がしたことだ。

「ねえ、朋代。ホントにあの日、なにがあったの？」

美紀子は再び私の向かいに座り、うつむいてケースのなかからビーズをつまむ。

「聞いてどうするの」

「どうもしない。知りたいだけ」

高校を卒業してからもう六年。美紀子とのつきあい自体は十年近くになる。そのあいだ美紀子が、こんなに明確に自分の望みを伝えてきたことはない。

美紀子はずっと、あの日のことを気にかけていたのだろう。聞いてもいいのか、知らないふりでいたほうがいいのか、迷った末に今夜こうして、白い波の向こうから問いかけてきている。

私もだれかに話して、確認したかったところだ。自分を心配してくれる友だちがいて、料理を作って生計を立てられる職場がある。そんないまの私の生活が、どんなに幸せで満ち足りたものかということを。

「じゃあ、教えてあげるね」

いつも不思議に思うことがある。

どうして恋に落ちたとき、ひとはそれを恋だとちゃんと把握できるのだろう。

たとえば私の初恋の相手は、保育園で同じさくら組だった健斗《けんと》くんだが、まだ「恋」という言葉も、その意味もよくわからなかったのに、それでもすごくはっきりと、「健斗くんのことが好きで好きでしょうがない」と感じる自分の心に気づいていた。

彼のことを特別だと思ったし、彼と一緒に遊ぶとドキドキしたし、彼も私のことをそんなふうに思っていてくれればいいのにと願った。

言葉で明確に定義できるものでも、形としてこれがそうだと示せるものでもないのに、ひとは生まれながらにして恋を恋だと知っている。

とても不思議だ。

楽しいと思うことや、好みの食べ物や、怒りを覚える事柄は、年月とともに少しずつ変化していくのに、だれかを好きになったときのときめきや恥ずかしさや欲張りたくなる気持ちやらには、あまり変化が見られないような気がする。

私がはじめて――そしていまのところ最後であるわけだが――そのもやもやと居心地の悪い、熱くて甘くて苦しくてつらい気持ちをぶつけあった相手が、黒川俊介《しゅんすけ》だった。

私たちは、ほとんどの時間をともに過ごした。高校への行き帰りも、休み時間も、放課後も。顔を見ないと、皮膚のどこかで少しでも相手の体温を感じていないと、不安になった。

学校が終わると、二人でぶらぶらとあてもなく町を歩き、夕方には俊介の家へ行った。俊介の母親はとっくの昔に出ていったらしく、運送会社を経営しているという父親の姿は見かけたこともなかった。一戸建てのその家に、俊介はいつも一人でいた。

私は父を早くに亡《な》くし、郵便局で働いている母に育てられた。母は郵便局の仕事が終わると、そのまま車で隣町のスナックに向かう生活だった。スナックで五時間ほどアルバイトをして、アパートに戻るのは深夜だ。それまでは、私は俊介の家にいることができた。

母親が一日じゅう働いているのに、自分は毎日のように男の家に入りびたっていたわけだ。私はそのことに、特に罪悪感を覚えなかった。母をあまり好きではなかったからだ。

どうしてわざわざ、隣町のスナックまで行くんだ。どうせ狭い土地だ。あんたがスナック勤めをしていることは、この町のみんなが知ってるじゃないか。あたしは何度も同級生から、「おまえの母ちゃんがいるスナックに、昨日うちのオヤが遊びにいったってさ」と言われた。いまさら、なにをこそこそする必要がある。それとも、こそこそしなきゃならないような、後ろめたいことでもあるのか。そう思って、母とはほとんど口もきかなかった。

その日、俊介は朝からだるそうだった。学校から一緒に帰り、いつものようにスーパーに寄るころには、ずいぶん熱が高くなっていた。おかゆを作ってあげようと思って、ネギを買ったのを覚えている。私たちは親という存在のいない空間で、ままごとのような時間を過ごしていたのだ。

洗濯物を畳み終えた俊介は、そこで力つきたのかベッドに倒れこんだ。

「薬ある？」と聞くと、俊介は「たぶんない」と答えた。

「買ってこよっか」

「いい。風呂《ふろ》入ってきな」

「こんなに熱があるのに、するの？」

と驚いたら、

「おまえねえ、俺をなんだと思ってんの」

と逆にすごくあきれられた。「そんな元気ねえよ」

遠慮せずに風呂を使え、ということを、俊介は言いたかったようだ。うちのアパートの風呂が狭いことを、俊介は見て知っていた。

私は風呂に入り、お湯で絞ったタオルで、寝ている俊介の体を拭《ふ》いた。おかゆを食べさせ、氷を入れたビニール袋を、額や首の横にたくさん置いた。

「重い。あと冷たすぎ。タオルで包めよな」

と俊介は言った。私が俊介のパジャマをはだけさせ、左胸にビニール袋を押し当てると、俊介は「ひゃっ」と小さく叫んだ。それから私たちは視線を絡《から》ませて笑いあった。看病ごっこだ。

俊介のベッドにもたれかかって床に座り、私は静かに雑誌を読んだ。苦しそうな寝息を立てて、俊介は眠っていた。ときどき氷を取り替えるたびに、私は汗で湿った俊介の髪をそっとなでた。

枕元《まくらもと》にスポーツドリンクのペットボトルを置き、「そろそろ帰るね」とささやくと、俊介は目を開けた。

「送る」

と起きあがろうとするから、慌《あわ》てて両肩をつかんでベッドに押しこんだ。

「一人で大丈夫」

じゃあまた明日ね、と言って部屋のドアを閉めた。布団《ふとん》から顔の上半分だけ出した俊介が、小さな子どもみたいに「うん」と言った。

表はまだ少し肌寒い季節だった。

戸締まりをし、鍵《かぎ》を玄関横の窓から家のなかへ落として、私は夜の道を歩きだした。川沿いの道だ。いつもならば俊介と手をつなぎ、遠く鉄橋を渡る電車の窓が、水面に映るのを眺めたりする。

でもその夜は、早足で歩いた。途中で道は川から離れる。私はそこで、土手に上がった。毎日たどって、足が自然に選んだルートだ。アパートは橋を渡ったところにあったから、川に沿って土手の遊歩道を行くほうが近道だったのだ。

ひとけはまったくなかった。いきなり背後から強く腕をつかまれ、斜面を転がり落ちた私は、気がつくと河原の茂みのなかに押し倒されていた。立ち枯れた草のなかに。

恐怖よりも、驚きと混乱が先に立った。のしかかってくる重みを反射的に押しのけようと腕をのばし、首の骨が鳴るほど強く頬を張られた。一瞬、気が遠くなり、しかし不思議と意識の一部が冴《さ》え冴《ざ》えとして、私は自分を組み伏せているものの正体を見た。

薄闇《うすやみ》のなかで、いったいどこからの光を反射したのか、ぬらぬらと輝く目だった。

昼から饐《す》えた臭《にお》いのする荒い息を吐くその男は、私の制服のスカートをたくしあげた。蹴《け》りつけようとしたが、いったん押さえこまれた体勢の不利はどうしようもなかった。男は片手で私の首をつかみ、もう片方の手で私の下着を下ろした。下ろすついでに指をねじこまれた。

ようやく恐怖が追いついた。

この男はやりたいんじゃない。たしかにぱんぱんに膨らんだペニスをこすりつけてきているが、それは欲情というよりも怒りだ。だれかを痛めつけたいという身勝手で暴力的な衝動が、そこに表れているだけだ。

殺されるかもしれない。恐怖は、恐怖だとわからないほどの瞬《また》きのあいだに、絶望に変わった。私の絶望も怒りで彩《いろど》られていた。

どうしてこんなわけのわからない見知らぬ男に、いきなり殴《なぐ》られて河原で犯されなければならないのか。私はいっさいの抵抗をやめた。もう手足をばたつかせようとはしなかったし、悲鳴もあげなかった。あげようにも、首にかかった手の力が、すでに呼吸すらも妨げるほど強くなっていた。

犯されるのなんて、殺されるのに比べればどうでもよかった。怒りで脳みそが冷たくなっていく。あんたは決してあたしを傷つけられやしない。あたしの怒りのほうが激しいからだ。犯したければ好きにすればいいが、殺されてはやらない。絶対に生きのびる。隙《すき》を見て反撃してやる。殺してやる。

男が私のなかに無理やり入ろうとした。そこは乾ききっていたので痛かった。男が苛立《いらだ》って首を絞めあげてきたせいで、ますます痛みと苦しみは増した。力で押し開かれるいやな感触がした瞬間、ふいに体のうえから重みが消え、気管にどっと空気がなだれこみ、男は横倒しに河原に伏した。

俊介が立っていた。

ふらつく足を踏みしめ、肩で息をしている俊介が、両腕を振りかざした。棒のようなものを持っているのがわかった。俊介は倒れた男を、スイカ割りの要領でなおも殴った。男の腹も胸も顔も頭もおかまいなしに、何度も棒で叩《たた》きつけた。

最初はうめき声をあげ、這《は》って逃げようとしていた男は、しまいには動かなくなった。棒で衝撃を与えると、そこで折れ曲がるように体を痙攣《けいれん》させるだけになった。

俊介は棒を捨てた。河原の石に当たった音で、それが金属製のものだったことがわかった。

私はのろのろと立ちあがった。頬が麻痺《まひ》し、喉《のど》が痛み、股関節《こかんせつ》が軋《きし》み、あそこがひりひりした。背中にも腰にも腿《もも》にも打撲と擦過傷があるのが感じられたが、それよりも片方どこかに飛んでしまった靴を探さなきゃと考えている自分がおかしかった。

茂みに視線をさまよわせる私に気づき、俊介が靴を探して履かせてくれた。足首に下着が引っかかっているのを見て、私の前にかがみこんだ俊介が、困ったように手を止めた。私は俊介の頭を抱えるように掌《てのひら》を置き、引っかかっているほうの足を少し浮かすことで意思表示した。俊介は下着を抜き取り、羽織っていた薄手のコートのポケットに入れた。

俊介は立ちあがり、私の手をそっと握った。手を引かれて土手を上がりながら、私は河原を振り返った。

「死んだの」

「たぶん」

遊歩道には、俊介の自転車が投げだしたように転がっていた。

「乗れそう？」

と聞かれたので、

「うん」

と答えた。

自転車の荷台に座ると、俊介は自分の家のほうへ向かって漕《こ》ぎはじめた。

下流から、濃い霧が押し寄せてきた。あたりの空気はあっというまに湿って真っ白になった。

鉄橋を渡る電車の灯《あか》りが、雲間から射す日の光みたいに淡く滲《にじ》んだ。音がずいぶん遅れて聞こえるようだ。どこが道かもわからない霧のなかを、ライトも点《つ》けずに自転車は走った。タイヤが食《は》む道路の感触も曖昧《あいまい》だった。

「抵抗してないように見えた？　言うこと聞いてるんだと思った？」

俊介が背中を向けているからこそ、そう尋ねることができた。

「思わない。思うわけない」

と俊介は低く言った。俊介は右手をハンドルから離し、コートを摑《つか》んでいた私の右手を探り当てると、自分の腹にまわさせて上からぎゅっと握ってくれた。私たちの手はどちらも小刻みに震えていた。

「どうしたらいいの？」

頰が腫《は》れて熱を持ちだした。そこに霧が触れると集まって大きな水滴になり、涙のようにあとからあとから零《こぼ》れ落ちていった。

「ということが、あの日あったの」

私は言い、すっかり手を止めて真剣な顔つきでこちらを見ている美紀子に笑いかける。「って話はどう？　信じた？」

「信じる」

即答されて驚く。冗談めかして言ったのに、どこに信じるに足る根拠がある。

「朋代が顔にひどい痣《あざ》を作って、登校してきた日があったよね。ずっと、そのことが気になってたの」

美紀子は糸を切り、針を針山に刺す。「私はびっくりして、『どうしたのそれ』ってあんたに聞いた。黒川くんに殴られたのかと思ってた」

私は黙ったまま唇だけで笑う。俊介が私を殴ったことなど一度もない。とても優しいひとだ。

「その前の夜、私はあんたに電話した」

「そうだったね」

私が帰らないので、母が美紀子の家に電話したのだ。美紀子はうまく母をごまかした。「朋代はうちに泊まりにきてますけど、いまお風呂です」と。そのあとすぐに、私の携帯に連絡をくれた。母からの着信は無視したけれど、美紀子とは話をした。ナイスなフォローをありがとう、美紀子。今夜は俊介の家に泊まる。明日の朝、うちに寄って机の上にあるレポートを持ってきてくれない？　母は七時半には家を出るから、そのあと部屋に入ってよ。鍵は郵便受けの蓋《ふた》の裏に貼ってあるから。

班で提出する生物のレポートで、私の部分だけ欠けてメンバーに迷惑をかけるわけにいかなかったのだ。そんなことを淡々とお願いしている自分が、とても恐ろしくなった。美紀子は言ったとおりにしてくれた。
「あのとき、あんたはどこでなにをしてたの？」
河原で穴を掘っていた。あの男を埋めるため。

俊介は私に、家にいるようにと言った。私はいやだと言った。ついていく、どこにも行かないでと。

汚れてもいい服に着替えた私たちは、ガレージからスコップを持ちだし、また自転車で河原へ向かった。霧はまだ立ちこめていて、車もひとも通らなかった。たとえ通ったとしても、すれ違うときに輪郭がおぼろに見えるだけだっただろう。

半ば手探りで作業した。

男はもとのままの場所に、冷たくなって転がっていた。スーツを着ていたが、とてもくたびれ汚れていた。血はそんなに流れていないようだったけれど、顔を覗《のぞ》きこむことはできなかった。運ぶために触れたときの肌の感じから、四十代ぐらいかなと思った。

穴はほとんど俊介が掘った。

「熱は」と聞くと、「下がった」と言った。本当かどうかわからない。私も男を殴り殺した凶器で、穴掘りを手伝った。

枯れ草の生えた地表部分を慎重に脇《わき》によけ、あとはどんどん掘り進んだ。河原の土は湿っていて、想像していたよりも作業は順調に進んだ。

掘るあいだに一度だけ、

「警察に言おうよ」

と私は提案した。俊介は「いやだ」と言った。

「なんて言う？　彼女がレイプされてたので、落ちてた鉄の棒で男を殴りました。何度も何度も殴って殺しました。それでどうなるんだ？　もうこいつは死んでるのに。俺はぜんっぜん後悔してないのに」

俊介はまったく動揺も迷いもしていないように見えた。静かな確信に貫かれて、神聖な行為だと言いたげに穴を掘った。

犯されることなんてなんともないと思ったのも確かだが、あとからいろいろ調べられたり聞かれたりするのは、なんだかいやだった。思い出したくもない。消えてしまいたい。俊介がとても頼もしく感じられて、私も棒で地面をついて柔らかくすればいい。

ことに専念した。

棒とともに男を穴に落としこんだときに、美紀子からの着信があった。口のなかの粘膜まで腫れてきていて、しゃべりにくかったがわざと明るい声を出した。

通話を終えると、上から穴に土をかけた。最後に二人で、固く地面を踏みしめた。はじめは、よみがえるものをおそれるようにおずおずと足を動かしていたが、そのうち、なにかの儀式のように原始的なリズムになった。俊介と私は汗まみれの顔を見合わせ、なぜだか笑った。笑いながら、しばらく足踏みをつづけた。

霧が急速に流れて薄くなっていき、対岸の灯りがうっすらと見えはじめた。よけておいた地表部分を戻した。掘り返した土の色が、そこだけどうしても不自然な気がしたが、きちんと確認するためには光がたりなかった。

俊介の家に帰り、一緒にシャワーを浴びた。ベッドに入り、電気をつけたまま私たちはセックスした。終わると俊介は、冷凍庫から氷を持ってきて、いまさらのように私の頬を冷やした。

「ひどい?」

と聞くと、

「うーん、ちょっと」

と俊介は言った。私が笑うと、俊介も笑った。外では風が強くなっていて、部屋の窓ガラスが音を立てて震えた。

翌朝、登校途中に、土手をなにくわぬ顔で自転車で走り抜けた。明るい光のもと、横目で見た河原の様子は、私たちを深く満足させた。

夜の風で、枯れ草はみんな上流に向かってなびくように倒れ、掘った場所がどこだったか、私たちですらはっきりとはわからなくなっていた。

「絶対に見つからない」

俊介のつぶやきは、彼を背中から抱きしめる私にだけ届いた。「見つからなければ、なかったことと同じだ」

いいいいいいいいいいいいい
見つからなければ、なかったことと同じだ。そのとおりだと思った。


今日もやってきた古橋さんは、ビーフシチューセットを注文する。

三日前から煮込んでおいた自信作を皿によそい、仕上げの隠し味に生クリームを二、三滴垂らす。遅めの昼食をとるカップルがほかに一組いたため、私は厨房から離れられない。隙あらばなまけようとするマスターが、銀のお盆を持ってフロアからカウンターに戻ってくる。

「朋代ちゃんさ、あのひとタイプだろ」

「あのひと」

「前に食い逃げしようとしたひとだよ。ほら、いま窓際に座ってる」

「食い逃げしようとはしていなかったと思いますが、タイプですね」

「やっぱりなあ、そうだと思ったよ」

マスターは満足げにうなずく。「物静かそうでいて、実はちょっとキレてるっぽいひと、好きでしょ」

「どんな趣味ですか、それ」

私は笑いながらも、内心では予想外に鋭いマスターの指摘に感心している。なぜかいつも、店の電話で奥さんに向かって謝ってばかりいるマスターだが、二十年以上も客商売をしてきた観察眼は伊達《だて》ではないらしい。

それとも私が、腐臭を隠しきれていないのか。

ひとの命を奪い、死体を隠した。その現場にただ居合わせただけではなく、動機そのものであり共犯以上の共犯と言える私には、こすってもこすっても落ちないなにかの印がついていて、その印から発する黒い光が、俊介と似たようなひとをいつも探しているのか。

「ほら、マスター。コーヒーの準備してください」

馬鹿《ばか》げた考えだとすぐに打ち消す。人間の命だけ特別だとする根拠がない。

そんなことがあるわけない。私に調理された牛や豚や魚の印はつかないのか。私やマスターや多くのひとが食べたものの印は。

印がつくなら、つけばいい。私たちが殺したあの男の印など、たくさんの印に紛れて消える。

古橋さんがレジに立っても、マスターはカップルのコーヒーをいれるのに熱中している。私がレジを打ち、九百円ですと言うと、古橋さんは千円札を差しだしながら、

「俺、キレてるっぽいですか」

と言った。「頭がキレる、じゃなくて、キレてる?」

百円玉をつまみそこね、私は古橋さんをまじまじと見る。古橋さんは楽しそうに笑っている。

「けっこう耳いいんですよ。会社でも、女の子たちの悪口とかが聞こえてきて、ちょっと困る」

「あの、ごめんなさい」

と私は言う。「マスターが、いえあたしもですけど、失礼なことを」ようやくつまめた百円玉を、古橋さんにぎこちなく渡す。古橋さんはそれを、左の掌で受け取る。

「もしよかったら、今度映画にでも行きませんか」と古橋さんは言う。「映画じゃなくてもいいんですが。散歩でも釣りでも牧場見学でもなんでも」

古橋さんの掌は冷たく乾いている。その手が私の首筋をなであげ、耳の後ろをそっとなぞる瞬間を想像し、私は震える。


最初はなにも問題なかった。興奮が静まっていくにつれ、私は怯《おび》えるようになった。罪を犯したことはもちろんだが、それがばれたらどうなるのか考えるほうが、こわかった。あの夜、私がなにをされたか、俊介がなにをしたか、私たちがそのあとどう行動したか、みんなが知ることになったら。

俊介に脅されたのだと思ってみようとした。私は自首をすすめたのに、俊介はそれを受け入れなかった。だから私は穴を掘ったのだ。そうしなければ、私も殺されてあの男と一緒に埋められてしまうかもしれなかったから。

でもちろんそれは、事実とはちがう。俊介の態度には、なにも変わったところがなかった。そのことが私は一番恐ろしかった。私は何度もうなされて目が覚めた。そのたびに俊介は、「大丈夫」とささやいた。ささやいて私の背中を優しくなでた。

「俊介はあのときの夢を見ないの」

と、二人きりの部屋で私は聞いた。

「見ない」

と俊介は言った。「悪いことをしたと思ってないから」

私は次第に、俊介に対して憎しみに近い感情を抱くようになった。それは、あの男と対峙《たいじ》したときに湧《わ》きあがった怒りと、とてもよく似ていた。

どうして殺したりした。あたしはそんなことは頼んでいない。放っておいてくれればよかった。あとを追ってきてくれなくてよかった。なにも気づかず土手を行き過ぎてくれればよかった。あそこで犯されて殺されていたほうがずっとよかったのに。泣きながらそうなじりたかったが、泣けなかったし言えなかった。

私たちは同じ秘密を抱え、それまでどおりに仲良く登校し、それまで以上にお互いだけを見て愛しあうほかなかった。

私は俊介の家に何日も泊まるようになった。怒り狂った母が踏みこんできても、帰らなかった。俊介と離れたくなかった。俊介と離れて夜を過ごしたら、あのときは漏れなかった悲鳴がいまになって際限なくあふれだし、すべてを壊してしまうと思った。

つかみかかってきた母に引っかかれた俊介は、うっすらと笑いを浮かべ、母を軽く突き飛ばして玄関を閉めた。

学校に連絡され、教師に注意されても、俊介は動じなかった。私たちはちゃんと登校し授業を受けていたから、「家には帰ってます。母は仕事でいないことが多いから、神経質になってるだけだと思います」と私が言えば、それでおしまいだった。

夜中に叫んで目を覚ます私を、俊介はじっと見ていた。白目の部分が、射しこむ外灯に照り映えて青白く光っていた。

「見つかったらどうしよう」

「見つからない。半年経ったけど、だれも気づいてない」

「いまからでも警察に言えば……」

「言うだけ損だ。だいたい俺は罪だと思ってない」

俊介は、汗まみれの私の胸を掌で包んだ。「あいつの家族か、友だちか恋人か、だれでもいい。あいつをすごく大切に思うひとがいて、埋められてるあいつを探しだしたとする。そうしたら俺は、そのひとに殺されてやるよ。でも、だれにも探されないまま、あいつがあそこに埋まってるかぎり、俺は償うつもりはまるっきりない」

俊介は俊介の正義をまっとうし、私を守ってくれた。学校へ行って友だちと笑いあい、俊介と手をつないだりキスしたりする、いままでどおりの日常を。

私を愛していたからだ。

私も俊介を愛していたのだから、すべてを忘れ、なかったことにしてしまえばよかったのかもしれない。

あの男は当然の報いを受けただけだ。自分にそう言いきかせようとしたが、俊介のふるった暴力の鈍い音が、目を閉じると頭のなかで響いた。

恋人を永遠に自分に縛りつけたいと願うとき、一番有効な方法はなんだろう。あの夜以前にも、よく考えていたことだ。俊介と離れたら生きていけないと思ったから。あの夜以降は、いっそう考えた。離れたら生きていけない。好きだから。一人では恐怖に押しつぶされてしまうから。

恋人の目の前で自殺するのがいいと、あの夜以前の私は夢想していた。あの男を埋めてからは、もちろん考えが変わった。

恋人のために、恋人の目の前でひとを殺すのだ。それほどまでの深い思いを見せられたら、もう二度とほかのだれも愛せない。

高校を卒業するまでの一年間、私はそんなことを考えつづけた。

俊介も私も、卒業後は東京へ出ることになっていた。俊介は大学に、私は調理師の専門学校に入学が決まっていた。私たちは一緒に上京し、それぞれ一人暮らしをする部屋を下見した。なるべく近いところがいいねと相談して契約した。

卒業式の前日、さすがにアパートに帰って母とテレビを見ているところに、俊介はやってきた。母はいやな顔をしたが、もうあきらめたのかなにも言わなかった。私は部屋を出て、アパートの階段の下で俊介と話した。他愛もない話だ。

「じゃあまた明日」

と俊介は軽く手を振った。歩きだそうとして足を止め、俊介は振り返って言った。

「苦しい？」

と。私は笑って、「なにが？」と言った。俊介はちょっとうなずいた。あの夜に、私たちが本当に幸せだった最後の夜に見せたのと同じ、子どものような目をしていた。

俊介は卒業式に来なかった。家にもいなかったし、東京のアパートにも現れることはなかった。

俊介は私と会うつもりがないのだということだけがわかった。

どうして。そう思いながらも心のどこかで、やっぱりとも感じるのだった。

私は専門学校に通い、友だちと遊び、たくさん笑ったり泣いたりした。気のいいマスターのいる小さな店に就職し、好きな料理を作って日々を送る。

俊介が望んだ日常を。

それが、私に降りかかった、私がふるった、ありとあらゆる暴力に対する一番の復《ふく》讐《しゅう》になると信じて。

俊介はうなされなかったのではなく、私の前では眠らなかったのだと、ふと気づいたのは会えなくなってずいぶん経ってからだった。

どんなに気になるひとが現れても、好きになることはないと思った。

「おやおやおや、進展してるじゃないの」

と美紀子が笑う。式は一週間後に迫り、ヴェールの刺繍を仕上げれば、ウェディングドレスも完成する。美紀子はバランスよく見えるブーケの大きさを計算し、デザイン画をおこして使う花の種類と本数を割りだそうとしている。

「で？　いつデートすんの、古橋さんと」

「しないよ」

と私は言う。ヴェールの生地《きじ》は汗が染《し》みになりやすいので、薄手の木綿の手袋をはめて作業している。針を扱いにくく、刺繍はなかなか進まない。少し焦《あせ》ってくる。

「なんで」

美紀子が心底意外そうに言うから、私の苛立ちは増す。

「なんでって、できると思うの、あたしが。デートしたり、恋したり」

しばらく黙って鉛筆を動かしていた美紀子は、「いいんじゃないのかな」とぽつりと言う。

「あたしの話を信じたんじゃなかったの」

「信じるよ。信じたうえで、いいんじゃないかと思う」

私じつは、黒川くんに連絡したんだよね。

美紀子がなにを言っているのか、すぐには理解できない。

「黒川くんに連絡した。朋代から、あの日の話を聞いた翌日に。朋代はずっと帰ってないから、知らなかったでしょ。彼いま、実家の会社を手伝ってるんだよ」

「は？」

「それで、『私今度、結婚するの。急なんだけど、ぜひ来てくれない。もちろん朋代も来るよ』って言った。黒川くんは、『わかった、行く』って」

「なにそれ」

私は呆然《ぼうぜん》とする。「なに勝手なことしてんの、美紀子。じゃああたしは行かないよ。俊介と会ってどうすんの」

「決着をつけなよ。黒川くんを告発するにしろ、一緒に自首するにしろ、ずっと黙っているにしろ、会って話さないことには先に進めないでしょ」

「知りたいだけって言ったくせに」

「知って、私は黙ることにしたよ。一生だれにも言わない」

「あたしにどうしてほしいの」

「だから、黒川くんに会ってほしい」

「会わないよ！　会わないからね！」

そう怒鳴ったのに、美紀子は「はいはい」と言って帰っていく。それからは電話しても来ない。ウェディングドレスとヴェールを、私の部屋に置きっぱなしにしたまま。

結婚式前日に刺繍を終える。とうとう完成した白い布に埋もれるようにして、私は最後にもう一度、美紀子に電話をかけてみる。

「おー、終わった？　ありがとう！　明日、一時までに会場に持ってきてね。よろしく」

だれが持ってってやるものか。裸で式をあげればいい。憤《いきどお》りとともにそう思う。思ったはずなのに、なぜか控え室で美紀子がドレスを着るのを手伝う羽目になる。喜ぶ両親と兄弟に囲まれ、新郎のご機嫌うかがいを受ける美紀子は、とてもうつくしく輝く。集まった彼らは、私がウェディングドレスの製作を手伝ったことについて、丁寧に何度も礼を述べる。

落ち着かない気分で式を見守り、そのまま披露宴に移る。披露宴といっても、レストランを借り切って行われる、立食形式のガーデンパーティーだ。庭に面した窓が開け放たれ、白い布のかかったテーブルが、芝生の上にいくつも並べられている。日が暮れていくにつれ、庭の四隅では篝火《かがりび》が燃やされ、テーブルのキャンドルにも火が灯《とも》る。

招待されていた高校時代の友人たちと、ひさしぶりに会話を交わす。笑いながら、しゃべりながら、目は俊介の姿を探す。料理はとてもおいしい。記憶して、店のレシピにも反映させたいと思う味がいくつかある。俊介はどこにもいない。美紀子と一緒に写真を撮る。もしかしたら来ないのかもしれないなと思う。ウェディングドレス製作者の権利として、ブーケを私にくれると美紀子は言う。来てほしかったのか、来なくて安心しているのか、自分でもわからなくなる。

風通しのいい、庭に面したテラスで涼んでいるときに、私は俊介に気づく。篝火から一番遠い木立の陰に立って、俊介は私を見ている。テラスから芝生に下り、私は庭を横切って彼に近づいていく。

「もう会わないんだと思ってた」

と私は言い、

「俺も」

と俊介は言う。

俊介は黒い細身のスーツを着て、ネクタイは締めていない。明かりの届かない場所にいるせいか、少し顔色が悪くも見えるが、最後に会った日から経った年月は、外見からはまったく推《お》し量《はか》れない。

俊介は私の腕をやんわりとつかみ、影の落ちた場所へ引っぱる。地面が芝生から土に変わったことが、ヒールを通して感じられる。

「おまえ、彼女に話したな？」

俊介はとても優しい口調で言い、にぎわっている庭の中心部を顎《あご》で指す。私はうなずく。俊介の指先がのびてきて、私の頰に触れ、唇に触れ、髪に触れて離れる。

「私のことも殺す？　殺して埋める？」

「殺さないし埋めない。今度だけは」

私の耳もとに頬を寄せ、俊介がささやく。「でも、もう絶対にだれにも、俺がしたことを話しちゃいけない。おまえは全部忘れたふりで、ふりがふりじゃなくなるまで忘れて、楽しく暮らす。わかった？」

俊介は体を引き、私の腕をつかんでいた手もほどく。俊介の目は、深い淵《ふち》のように穏やかで黒い。

俺がしたこと。

これを告げに、彼は来た。私を自由にするために。

「もう絶対にだれにも、私たちの秘密を話さない」

私は誓う。「死ぬまで、全部忘れて楽しく暮らす」

腐敗しとろけゆく、永遠に暴《あば》かれることのない秘密を、沈黙と忘却をもって苗床《なえどこ》の栄養に変えよう。

「どうしても『二人の秘密』にしたいのか？」

と、俊介は困ったようにため息をつく。

「俊介。後悔してる？」

「何度も何度も聞くんだな」

俊介は静かに微笑んだ。「してないよ」

芝生の上を、俊介は足早に去っていく。美紀子が気づいて声をかけても、ひらひらと手を振っただけで止まらない。さっさと庭から通りへ出ると、夜のなかへ消えてしまう。

私はじっと見送っている。

俊介を追うのをあきらめ、美紀子がきょろきょろと私を探す。木陰から足を踏みだし、篝火のそばに立って「美紀子」と呼ぶと、美紀子はホッとしたように駆けてくる。私たちがつけたビーズの粒が、触れあってさらさらと鳴る。

「黒川くんに会ったのね？」

美紀子は私の顔を覗きこむ。「いつ来たのか、ちっとも気づかなかった。朋代、どうだった？　大丈夫だった？」

「なんにも問題なし」

と私は答える。「ここのお料理、おいしいね。さっそく明日、店で応用してみるよ」

「うん」

「それで、古橋さんが来たら……。いつデートするか日にちを決めようかな」

「うん」

美紀子は、肘《ひじ》まである白い手袋をはめた手で、私の手を取ってぶんぶん揺らす。

「そうかそうか。なるべく早く、いい日取りを選びたまえ朋代くん」

「だれの真似《まね》なわけ、それ」

「うちの部長。あ、テラスにいた。聞こえたかな」

私たちは笑いあう。ガーデンパーティーはつづく。明日は古橋さんと次の休日の予定を立てる。

素敵な不毛だ。

夜にあふれるもの

真理子《まりこ》がおかしいのは昔からだ。

通っていた学校には、「おみどう」と呼ばれる祈りのための場所があった。つまりは校内のミニ教会、ミニ礼拝堂だ。どういう字を書くのか、改めて考えたことがなかったが、たぶん「御御堂」だろう。御の字が二つもついている。ありがたい。

正面の壁には十字架にかけられたキリスト像。祭壇には燭台《しょくだい》。天井は高くドーム型になっていて、窓にはすべてステンドグラスがはめこまれている。幼《おさ》な子を抱く青い衣をまとった聖母マリア。その足もとに咲き乱れる白百合《しらゆり》の花。

通常、大きなミサは講堂で行われた。クリスマスミサ。死者のためのミサ。神父がきらびやかな衣装に身を包み、粛々《しゅくしゅく》と儀式を進める。信者であるなしにかかわらず集められた全校生徒が、それを見守る。

そう、ミサは「儀式」だった。静かに神聖に進行すべきものではあるが、信仰を目に見える形で表現するために、練りあげられた単なる式典。多くの宗教行事がそうであるように、日常に組みこまれ、形骸化《けいがいか》した風習。特別ななにかを、ミサに見いだすことは難しかった。

信者の子がミサの最中に熟睡しているのを、何度も目撃した。もう何百回となく唱えたであろうしきたりどおりの言葉に、神父の魂がこもっていないと感じられる瞬間がたしかにあった。

それも当然だろうと思えた。組織化し、体裁を整えた儀式を穏やかに日常のうちにすべりこませるのが、多くの信者を擁《よう》する宗教になるための第一歩だ。毎日を神秘的な恍惚《こうこつ》のなかに過ごすひとがいるとしたら、そのほうが異常なのだ。

だが真理子はちがった。

信者でもないのに、うっとりと心をこめて聖歌を歌い、「主《しゅ》はみなさんとともに」という神父の言葉を受けて、だれよりも大きな声で「また司祭とともに」と返した。

ミサが、「聖なるかな、聖なるかな、聖なるかな、万軍の神なる主」のところまで来ると、真理子はもうだめだった。頰を紅潮させ、エクスタシーの寸前みたいに身を震わせるのだ。真理子が倒れるんじゃないかと、隣に立っていていつも気が気じゃなかった。

実際、真理子は三回に一回は倒れた。

神父がなめらかに音もなく、銀の器を卓上に用意する。

「主イエスはすすんで受難に向かう前に、パンを取り、感謝を捧《ささ》げ、割って弟子に与えておおせになりました」

言葉に合わせ、丸いえびせんのような形をした小さく薄いパンを、銀器から取って両手で掲げる神父。

「みな、これを取って食べなさい。これはあなたがたのために渡されるわたしの体である」

真理子は自分の両手を強く組み、食い入るようにパンを見つめる。講堂は静かだ。神父の動作はつづく。

「食事の終わりに同じように杯《さかずき》を取り、感謝を捧げ、弟子に与えておおせになりました」

今度はワインの入った銀のカップを掲げ、

「みな、これを受けて飲みなさい。これはわたしの血の杯、あなたがたと多くのひとのために流されて、罪のゆるしとなる新しい永遠の契約の血である。これをわたしの記念として行いなさい」

語尾には芝居がかった余韻がある。

「ああ」と喉《のど》で低くうなって、真理子は座席に倒れこむ。周囲の子が少しざわつく。

「真理ちゃん、貧血？ 大丈夫？」。気づいた教師が駆けてくることもある。

閉ざされた真理子の薄いまぶたが痙攣《けいれん》する。貧血ではない。だれもなにもわかっていない。真理子は失神しているのだ。大好きなアイドルのコンサートで白目をむく女の子のように。恐怖に直面して気を失うオールド・ムービーのヒロインのようになだれをうって押し寄せる、神聖な波動を感受して真理子は歓喜する。

真理子にとって、奉献文《ほうけんぶん》とともに繰り広げられる儀式は、もはやミサの一場面などではなかった。壇上の神父の声や動作は、白く輝く光にいともたやすくかすんでしまう。

ミサのたびに、真理子は見、聞き、感じることができたのだ。

ナザレのイエスという男が、最後の晩餐《ばんさん》の席上で弟子たちを前にして行ったこと。何千年も前の過越《すぎこし》の日の出来事が、真理子の眼前に、まるで自分が体験したことのようにありありとよみがえるらしかった。

聖体拝領《せいたいはいりょう》は信者にしか許されていない。睡眠をむさぼっていた信者の子たちが目を覚まし、神父の前に列をなす。聖別されたパンをうやうやしく掌《てのひら》に受け、素早く口に押しこむ。そのころには真理子も正気づいていて、座席にぐったりともたれたまま、壇上の人々を凝視する。真理子の目は潤《うる》んで光っている。

感動や感激のためではなく、うねるように身の内を過ぎていった快楽のために。熱心に聖書を読み、ミサに参加する真理子は、信者に向けてだけ行われる「おみどう」でのミサにも、出席することが許可されていた。

真理子は足繁《あししげ》く「おみどう」に通った。そこでも真理子は失神するようで、しかしまさか恍惚ゆえに失神することがあるなどとは、列席する信者たちには思いもよらなかったのだろう。彼らにとってのミサが儀式にすぎなかったがゆえに。とても体が弱い子なのだ、と真理子は解釈されていた。

「おみどう」から戻ってくると、真理子は必ず言った。

「ねえ、私がいま一番食べたいものがなんだかわかる？」

もちろんわかるわよ、真理子。あなたはキリストの体を食べ、キリストの血を飲みたいのでしょう。

真理子の聖なるいい欲求を明文化するのを避けるため、

「さあ、なにかしら」

と答えてあげるのだった。

そんなお決まりの会話を廊下で交わす真理子に、ミサを終えて「おみどう」から出てきた校長が、声をかけてきたことがある。

「篠塚《しのづか》さん、あなたは本当に熱意のあるかたですね。もっと聖書を勉強して、洗礼を受けられたらどうかしら。あなたさえよければ、私から神父さまにお願いしてみますよ。ご両親とも相談してみなさい」

「ありがとうございます、シスター・セシリア」

ステージから見て、きみのことをかわいいって気に入ったらしくてね。アイドルのマネージャーから、楽屋に通じるドアの在処《ありか》をこっそりと教えてもらったファンのように、真理子は飛びあがらんばかりに嬉《うれ》しそうだった。

本気ですか、校長先生。横で笑いを押し殺すのに苦労した。神聖なるミサにサタンを招き入れるようなものですよ。

真理子は宗教を信じていたのではない。人間を超越した存在を体感《たいかん》していたのだ。この二つは似ているようで性質がまったく異なる。

真理子の高揚と熱情は、原始的かつ幻視的だ。真理子は教典を信じたのではない。宗教として体系づけられる前の、もっと混沌《こんとん》としたなにものかと真理子は交感する。

荒々しいリズムとともに、得体の知れぬものを憑依《ひょうい》させた古代のシャーマンのように。電撃のように天から降る声を聞き、終末の世界を一瞬のヴィジョンとして脳裏に描くことができた伝説の預言者のように。

聖なるものに選ばれ、聖なるものを選んだのではなく、真理子の体にはなぜかそういう回路が開けていた、というだけのことだ。

真理子の「信仰心」の正体を、多くのものにとって一番理解しやすい言葉で説明するならば、それは恋だ。

直感と狂的興奮に裏打ちされた、盲目的なまでに一途《いちず》な抑えきれぬ思い。快感のうちに恍惚ととろける精神と肉体。

真理子が在学中に洗礼を受けることはなかった。真理子の親は、娘が宗教に入信することを望んだのではなく、しかるべき大学に入学することを期待して、真理子をミッション系の中高一貫校に通わせていたからだ。

真理子は成人してからも、洗礼は受けなかった。神々《こうごう》しいまばゆさに満ちた幻視も、天使が吹き鳴らす栄光のラッパの音も、なにものかの愛撫《あいぶ》がもたらす、真理子の体を貫いて天と地を一直線に結ぶような快感も、訪れることがなくなったようだった。

かつての熱病は去り、しかし次の熱病が息つくまもなく真理子を襲ったからだ。

宗教色のない大学に入った真理子は、恋をした。今度の相手は、十字架にかけられた男として具象化された「神の子」ではなかった。人間の男だった。

見よ。真理子の目が新たな光を帯びて潤むのを。どこにでもいる男の唇からつむがれるありふれた音階に、神の言葉を待つ殉教者のような喜びに満ちて耳を傾けるその表情を。

かわいくてかわいそうな真理子。無垢《むく》でうつろな精神と肉体は、この世にありながらいともたやすく異界の霊魂の浸透を許す。

天のいと高きところに救いたまえ《ホザンナ》！

深夜に取った受話器の向こうで、

「妻がおかしいんです」

と木村芳夫《きむらよしお》が言ったとき、だから私は思ったのだ。

真理子がおかしいのは昔からだ、と。

通話を終えて右腕をベッドのなかに戻すと、背後から有坂信二《ありさかしんじ》がゆるやかに抱きよせてきた。

「だれ？」

「真理子っていう友だちの、旦那《だんな》さん」

「こんな時間にどうしたの」

有坂が腰から腹をなでた掌で乳房を押し包む。もう一回してもいいし、このまま眠ってもいいというところで電話があったのだ。

待つあいだにどちらにするか決めたのかと思ったのに、有坂の手の動きは穏やかなままだ。

「真理子の様子が変なんだって」

中途半端《はんぱ》に触られるのは好きじゃない。終わりにするなら眠らせてほしいし、つづけるのなら集中して楽しみたい。

「信ちゃん」

中途半端というなら有坂の名前もだ。

シンジ。その先はなんだろう。シンジルか。シンジナイか。それともシンジタイか。そういうことを考えてしまうから、私は有坂を信ちゃんと呼ぶ。

「明日も仕事あるんでしょう」

寝返りを打って、有坂のほうに向き直った。いっとき離れた有坂の手が、今度は背中をすべる。

「うん……。変って、どういうふうに?」

「もとから変わった子だから、気にするほどでもないと思うけど。部屋に悪霊《あくりょう》がいるとか言うらしい」

「悪霊」

有坂は背を抱く手を止め、きっかり三秒間、至近距離から私の目をのぞきこんできた。明かりをつけたままの部屋。「悪霊」という言葉に対する嘲笑《ちょうしょう》も驚きも疑問もない有坂の目は、ただ黒いだけだ。三秒のうちに、その黒に透明に輝く欲望の膜が張っていくのが見てとれた。

「上に乗って、エルザ」

この男の欲情の契機はいまだによくわからない。そう思いながらも、有坂がベッドに仰向《あおむ》けになるのにあわせて、その体に乗りあがった。

はじめてセックスしたとき、有坂は「ワイルドだね」と笑った。

「つけた名に恥じぬと、親御さんも喜んでるでしょう」

有坂が操る言いまわしを、私はとても気に入ったのだ。

客に声をかけられないかぎり、こちらから近づくことはしない。求められれば、着回しのコツや材質や洗濯方法から世間話まで、ありとあらゆる話題に応じる。はじめての客には、心ゆくまで服に触れてもらい、そこにこめられた物語や、多くのひとの手を経てひとつの形に結晶するまでの来歴をさりげなく述べる。

顔見知りの客には、これまでに購入した服とそのひとの好みの系統を思い浮かべながら、選択のヒントを控えめに提示する。

聖なる言葉を書きつらねた貴《とうと》い書物のように。これまであったこととこれから起こりうることを詩に似た曖昧《あいまい》さで綴《つづ》り、何通りもの解釈を相手に許す。

私はこの店の服が好きだ。日本では青山の直営店とここでしか売っていない、岩だらけの絶海の孤島に住む羊飼いが着ていそうな服。

午前中の接客を終え、昼休みに店をのぞきにくる会社員たちの小さな波も引いたころ、灰色の背広を着た男がやってきた。有坂は早めに仕事が終わると言っていたし、私は明日は休みだし、今夜は帰ったら冷蔵庫の残り物で鍋《なべ》でもしよう。そんなことを考えていたので、青ざめたその男が入ってきたのに気づくのが遅れた。

男性の一人客は、この店ではめずらしい。男はラックにかけられた洋服に、それが礼儀であるかのように触れた。

どこかで会ったことがある気がする。もしかしたらと思い当たったと同時に、男はこちらに振り向いた。

「吉崎《よしざき》さんですよね」

と男は言った。「木村芳夫です。こちらにお勧めだと真理子から聞いていたもんですから。いらっしゃってよかった」

結婚披露宴で白いタキシードを着、汗で顔をてからせながら笑っていた姿しか知らなかったから、ひとはこうも憔悴《しょうすい》できるものなのかと驚いた。しかし案外、木村芳夫はふだんの状態がこれなのかもしれない。清潔だが薄っぺらい生地の背広、磨かれてはいるがくたびれた靴、植物のようにおとなしい眼鏡の奥の目を見ると、そんな気もしてくるのだった。

チーフに断りを入れて、遅い昼食を摂《と》りがてら木村芳夫とともに外へ出ることにした。昼下がりの新宿は冷たく澄んだ光に照らされている。デパートの近くの、モザイク通りに面したオープンカフェに入った。

私はホットサンドを、木村芳夫はコーヒーを注文し、表の席につく。春夏物の服にコートを引っかけただけでは寒いが、煙草《たばこ》を吸えるのは外しかないからしかたがない。断りを入れると木村芳夫は、「ぼくは吸いませんが、どうぞご遠慮なく」と言った。

名刺を差しだされ、火をつけた直後だったので咄嗟《とっさ》にくわえ煙草で受け取った。間《ま》の悪い男だと思った。名刺には、大手の家電メーカーの社名が刷られていた。私は名刺を持ち歩いていない。店のレジのなかに入れっぱなしだ。

煙草を一本吸い終え、冷めはじめたホットサンドに手をのばすまで、木村芳夫はずっと謝りの言葉を並べていた。昨夜は遅くに電話してすみませんでした。いまもお仕事中なのにお呼び立てして。

「ご迷惑かとは思ったのですが、真理子の友人といったら吉崎さんぐらいしかぼくには浮かばなくて」

当然だ。真理子と親しくつきあっているのは、私ぐらいしかいないのだから。とろけたチーズとなまぬるいトマトが口のなかで混ざった。

木村芳夫はコーヒーをすすり、私が食べ終わるのをしばらく黙って待った。

「その……、真理子は以前から、ああいったところがあったんでしょうか」

「ああいったところというと？」

私は紙ナプキンで指と口もとを軽くぬぐい、水を飲んだ。

「家鳴《やな》りがするたびに、悪霊が自分を誘惑しにきたと本気でおののいたり、『生命の進化　三十億年の旅』みたいなテレビ番組を見るたびに、『進化論なんてばかげてる。この世界は神さまがおつくりになったものなのよ』と至極真面目《しごくまじめ》に言ったりするところです」

笑いそうになったがこらえた。

「変わっていますよね？」

と木村芳夫は声をひそめた。

「まあ、どちらかというとそうでしょうね」

と答え、食後の一服を味わった。

「真理子がそういうことを言うようになったのは、妊娠がわかってからです。それまでぼくは、なにも気づいていなかった」

「あら、真理子、妊娠したんですか。おめでとうございます。何カ月ですか？」

「ありがとうございます。四カ月です。……いえ、吉崎さん。ぼくが言いたいのはそういうことじゃないんです」

「電話でも言いましたが」

煙草を消しながら、さりげなく時間を確認した。「真理子が変わっているのは前からです。私には、木村さんがなににお困りなのかよくわかりません。真理子が悪霊におびえる。進化論を否定する。そのことと、真理子の人格や美点とはなにも関係ないじゃありませんか」

「しかし、常識で考えておかしいでしょう」

「占いや風水に凝《こ》ったりするのと同じだと考えたらどうです。それにアメリカの田舎あたりには、きっといまでも悪霊の存在や創世記の記述を信じてるひとがいっぱいいますよ」

「吉崎さんは落ちついていらっしゃる」

木村芳夫の言葉はもちろん皮肉だ。「ぼくは真理子の熱狂がこわくてたまらないんです」

私は真理子と暮らしたこともないし、真理子の家族でもない。そうわかったうえで思うのだが、真理子の熱狂が私には愛《いと》おしかった。真理子が回路を開く瞬間。体感する不思議に真理子が身を震わせるさま。それを見ているのが好きだった。

真理子とはじめて言葉をかわしたのは、中学三年のとき。五日間におよぶ「錬成《れんせい》会《かい》」の、三日目の夜のことだ。

学校が持っている山奥の合宿所に、一学年が籠《こ》もる。テレビもないし、外出も禁じられている。もちろん本や菓子の持ちこみもいけない。外界から完璧《かんぺき》に遮断《しゃだん》された環境のなかで、毎日毎日朝から晩まで、ひたすら聖書を読み神父の説教を聞き聖人の一生についてのビデオを見るのだ。夕食後には「今日一日で感じたこと」を五枚の作文にまとめなければならない。

いま思えば「洗脳セミナー」以外のなにものでもない。狂気の沙汰《さた》だ。苦しかった。そしてとても恐《こわ》かった。引率の教師も、まわりの生徒も、神父も、その催しの異様さに気づいていないばかりか、どんどん熱狂に取り憑《つ》かれていくようだったからだ。

小グループに分かれ、聖書の一節を読んでいると突然、なかの一人が立ちあがって涙ながらに懺悔《ざんげ》をはじめたりする。連鎖した懺悔がそこここではじまり、それをまた涙ながらに、「神は許してくださいます」となだめる姿。

狂っている。だが、だれが？

心から恐怖し、おびえた。いともたやすく狂的興奮に包まれるほうがおかしいのか、その状況に没入しきれないでいるほうがおかしいのか。

狂気と正常の境は常に多数決によってしか引くことができない。どちらが狂っているのか答えは明白なように思えた。

眠りに就いても安息はなかった。深夜に絶叫して目覚め、並べられた狭苦しい二段ベッドから飛び起きた同室者たちに謝って、トイレに行くふりで部屋を出た。

非常口の緑の明かりに照らされた薄暗い廊下に、真理子はいた。早春の山奥にふさわしくない木綿のパジャマ姿で、凍える廊下から窓の外を見ていた。

暗がりにいったいなにが見えるのか。聞くより早く、真理子はこちらへ顔を向けて言った。

「つらそうだね」

うん、と答えた。

「みんなどうせ、ここから出たらケロッとしてふだんどおりの暮らしをするんだから、いまだけやりすごせばいいんだよ。信じられないと思ったり、信じたいと思ったりするから苦しくなる」

真理子はうっすらと笑った。「信じるんじゃない。『ある』んだから。あとはただ感じればいいだけ」

感じるの？　と問うと、感じないの？　と問い返された。

真理子はまた、窓の外に視線を戻した。その先には、木々の影がどこまでも黒く折り重なっているだけだ。

「泣きながら懺悔したって無意味だよ」

真理子は言った。「私たちの言葉なんて聞いてない。声も届かない遠くにいて、ただなにかを投げ落としてくるだけなんだから」

「なにかって、なに」

「光。熱。たまに言葉に似た音」

このひとはどこかほかのひととちがう。ほかのひととは質のちがう熱狂に身を浸《ひた》している。深く静かに。

彼女が感受するなにものかが、正しいのか間違いなのか、ただの錯覚なのか真実なのかわからないが、とにかくとても本統だ。

そう思ったことを覚えている。

「おやすみ」

と真理子が言い、私は廊下を引き返した。真理子はもとの場所に立って、私には感じられないなにかをじっと感じつづけていた。緑色に淡く縁取られたその姿は、内側からほのかに発光しているように見えた。

木村芳夫は真理子の熱狂をこわいと言うが、なぜ真理子の純粋さを恐れるのか私にはわからない。

悪霊におびえ進化論を否定するときと同じ眼差《まなざ》しで、かつて木村芳夫は真理子に見つめられたのではなかったのか。存在を感じたうえで、すべてを受け入れ愛すると表明するその視線に、木村芳夫も応《こた》えたのではなかったのか。

真理子がおかしいというなら前からだ。真理子がおかしいというなら、多くのひとが同じようにおかしくなったことがあるはずだ。

むずかしく考えることはない。あなたの戸惑いは、妻の目がほかの男へ向いているとわかった男の動揺と、なんら変わるところのないものなんだから。

それでもかまわないと愛するか、もう一緒にやっていけないと言い渡すか、決断すればいいだけのことだ。

そう言ってやりたかった。木村芳夫には理解できないだろうとわかっていたから、黙っていた。

時間が来たので、話を切りあげるために、「なにかあったらまた連絡してください」と、携帯電話の番号を教えた。木村芳夫は、「これがぼくのです」と言って、打ちこんだばかりの番号にかけた。

私の携帯は手のなかで生き物のように音もなく一度震えた。液晶に表示されたこの数字を、呼びだす日は来ないだろう。


アパートへ帰ると、合鍵《あいかぎ》で上がりこんだ有坂が台所に立っていた。

「おかえり」

自分の住処《すみか》はべつにあるのに、当然のように有坂はいつも言うのだ。

「ただいま。なにしてるところ？」

「昆布出汁《だし》をとっている」

有坂は湯気の立つ鍋のなかから、菜箸《さいばし》で大きな昆布を引きあげてみせた。「鍋でもしようかと思って。どう？」

「気があう。昆布なんかあったっけ？」

「今日、話を聞きにいった自然食品の店でもらった」

洗面所で化粧を落とし、服を着替えるのは後まわしにして台所に戻ったが、冷蔵庫でしなびかけていた野菜はほぼすべて切り終えられていた。包丁を受け取って交代し、冷凍したまま一月《ひとつき》が過ぎようとしていた鶏肉《とりにく》を切った。薄く色づいた出汁の味を軽く調えてから、具材を順番に鍋に投入する。有坂はそのあいだ、居間で缶ビールを飲みながらテレビを見ていた。

「はい、できた」

鍋を居間のローテーブルに運ぶ。電熱器がないから、冷めないうちに急いで食べないといけない。

なにかがたりないと思ったら、

「ご飯を炊《た》いてなかった」

「そういうことにいま気づかなくていいって。とりあえず食おう。冷蔵庫の中身をまるごと腹に移すんだから、どうせ飯粒が入る余地なんかなくなる」

黙ってひたすら鍋に箸をのばす。あふれそうだった野菜が半分ほどに減り、沈んでいた鶏肉に行き当たりはじめたころ、インターフォンが鳴った。「エルザ、あたし」

という声に驚いてドアを開けると、薄手の黒いセーターを着た真理子が、背面を闇《やみ》に溶かして立っていた。

「どうしたのあんた、コートも着ないで」

「平気。車で来たから」

真理子は頰の皮をわずかに動かした。笑ったつもりなのだろうが、それは表情ともいえぬただの痙攣に見えた。

「あがって。ちょうど鍋をしてたの。残り物ばっかりで悪いんだけど、片づけるの手伝ってよ」

冷えた手首をとってうながすと、真理子は夜から生まれるようにして部屋の明かりの内側へ入ってきた。

居間の戸口に立った私と真理子を、様子をうかがっていたらしい有坂がすぐに振り仰いだ。

「こんばんは、有坂です」

と有坂は言った。真理子がなにも言わず有坂を見ているので、私が有坂に、

「友人の木村真理子」

と情報を伝達した。有坂は、ああ、と納得したようにうなずき、立って台所から椀《わん》

と箸を持ってきて、真理子に渡した。

真理子はそれらを掌に載せたまま、テーブルからやや離れた位置に座った。

「つきあってるひといたんだねエルザ」

どこか抑揚を欠いた口調で真理子は言った。「いままで一度も紹介してくれたことないから、あんたはだれともつきあってないんだと思ってた」

私はそのときつきあっている相手を、友人に会わせるのを好まない。

グランドキャニオンに流れ星を見せたところで、なんの意味があるだろうか。両者は私のなかで決してまじわることのない存在だし、それにもし万が一、私の眼前で流れ星が気を変えてグランドキャニオンに落下することを選んだりしたら、大惨事になる。

私は、流れ星を一人で眺めているのが好きだ。通りすぎて消えていくまで。

しかし真理子に関していえば、男を会わせなかったのには、もうひとつ理由がある気がする。たぶん、この変わった女と自分が友人だということを、恋愛相手には知られたくなかったのだ。

真理子について、男が少しでも批判的な言葉——たとえば「変わってるね」など——を吐いたらその瞬間に、私は自分を否定されたような気持ちになるだろう。

「今日、木村が電話したでしょう」

真理子は急流を無理矢理凍結させたような声音で言った。「携帯の履歴にエルザの番号があった。会ったの？」

「ああ、うん」

と答えた。有坂は黙って鍋を食べつづけている。

「なんで？」

「なんでって……、旦那さん、真理子がちょっとナーバスになってるみたいだ、って心配して、相談に来たんだよ」

「そう？」

真理子はまた頬を薄く痙攣させた。「エルザはなんて答えたの？」

「べつにいままでと変わらないんじゃないですか」

真理子はようやく、くつろいだ感じで笑った。そうやって笑うと、十代のころと同じ表情になった。

「真理子、妊娠したんだってね。おめでとう」

「ありがとう」

と言って、真理子はようやく持ったままだったことに気づいたのか、椀と箸をテーブルに置いた。真理子の腹は、もうひとつ生命を宿しているとは思えないほど、まだ平らなままだ。

「ちょっとつきあってくれない、エルザ」

真理子は唐突に言った。

「どこへ」

「行きたいところがあるの。車ですぐだから」

「ご飯が途中なんだけど」

と言っても、

「そんなのいいから」

と、少しいらだちを見せた真理子はひるまない。戸惑っていると有坂が、

「夜のドライブ？　俺も一緒に行っていい？」

と、邪気のない笑みをたたえて言った。

真理子の返事も待たず、有坂は鍋をそのままにしてさっさと居間の暖房を消し、コートを羽織った。「ほら」と私のコートも差しだす。

めずらしいことだった。有坂は無遠慮でおおざっぱなように見えて、ひとの感情の機微に敏感な男だ。この部屋に来ても、私が一人でいたい気分だと察すると、すぐに

帰っていく。

私は、有坂は自分がしてほしいことをひとにもしているのだと解釈していた。つまり、自分が求めたときに、求めたよりもほんの少したりないぐらいの割合で、だれかと心を寄り添わせたいと願っているのだ、と。

私と有坂は互いに、してほしくないことをしないというよりは、してほしいことをすることによって、それなりに穏やかにつきあってきた。有坂のいまの言動は、その原則から大幅に逸脱しているように思える。

驚いて反論もできずにいるうちに、私は玄関から外へ出ていたのだった。値段の張る仕事着のままだと気づいたが、もう戻ることはできなかった。

「じゃあ行きましょうか」

そう言って先を歩く真理子を、ドアの鍵を閉めた有坂にうながされるようにして追った。

アパートの前の道路には、メタリックベージュの軽自動車が停まっていた。真理子の愛車だ。以前にこの車で、真理子と二人で箱根の温泉に遊びにいったことがある。

ロックを解除した真理子は、運転席に乗りこみながら、

「悪いけど二人とも後ろに乗って」

と言った。

ドアを開け、腰をかがめて車に乗ろうとした私は、そこで動きを止めた。後部座席に先客がいたからだ。運転席の真後ろの位置に、木村芳夫が座っている。木村芳夫の手首は体の前で、ネクタイで縛られていた。

「あ、どうも」

と、木村芳夫は会釈《えしゃく》した。

「どうしたの、早く」

シートベルトをした真理子が、顔を半分だけ向けて急《せ》かす。木村芳夫と有坂に挟まれる形で、私は後部座席に収まった。有坂は当然、手首を縛られた男の存在に気づいたはずだが、特になにも言わず、おとなしく座って前方を見ている。

ただでさえ小さい車に三人も並んだものだから、身動きするのにも苦労するほど狭い。それぞれが居心地のいい姿勢を探っているうちに、車は発進した。

「あの」

木村芳夫が、やや身を乗りだした。「ぼく、真理子の夫の木村芳夫です」

「有坂信二です」

有坂はにこやかに答えた。

「すみません、妻がご迷惑をおかけして」

「いえいえ」

この状況でどうしてこういう会話になるのか、私には理解不能だった。

「あ、名刺」

と、木村芳夫は背広の内ポケットを探ろうとしたが、手の自由がきかず果たせなかった。

「真理子」

私は運転席に呼びかけた。「木村さん、どうして縛られてるの」

「私が縛ったから」

真理子はおっとりとした口調で答えた。

「あの」

と、またもや木村芳夫は言った。「ぼくが言ったんです。逃げないって言ったのに真理子が信じないから、じゃあ縛ってくれていいよ、って」

「エルザへの疑いは晴れたんでしょう？」

と有坂は言った。「もう木村さんの手をほどいてあげてもいいんじゃないですかね」

「どうぞ」

と真理子は言った。

結び目はそれほど固くなかった。私が手伝ってネクタイをほどくと、木村芳夫は有坂に名刺を渡した。

「いま名刺を持ってなくて」

有坂は名刺の裏表を眺めてから、それを自分のコートのポケットにしまった。「俺はライターをやってます」

「そうですか」

木村芳夫はもぞもぞと座りなおした。「どういったものをお書きなんですか？」

「まあいろいろですね」

車内を沈黙が支配した。

真理子は迷いなくハンドルを切る。なにかに導かれるように。見えない光が進路を照らしているかのように。

アパートに程近い用賀インターから、首都高速へ入ったところで耐えきれなくなった。

「どこに向かっているの」

「イエスさまのお墓よ」

言葉は聞き取れたが意味がよくわからず、私は説明を求めて、隣に座る木村芳夫の顔を見た。木村芳夫は諦《あきら》めているのか、シートに深く背を預け、目を閉じたまま動かなかった。

「えーと」

と、有坂が言った。「それってもしかして、青森にあるやつ？」

「青森!?」

声が裏返った。青森は「車ですぐ」の距離ではないだろう。有坂は少し体を傾け、私の耳もとにささやいた。

「青森の戸来《へらい》ってところに、キリストの墓だと言われてる場所があるんだ。俺も行ったことはないけど」

「うさんくさい……」

「まあそうだね」

有坂は体をもとのようにまっすぐに戻し、楽しそうに笑った。

「この子はねえ」

真理子はハンドルから左手を離し、自分の腹をなでた。「神さまの子じゃないかと思うんだ。すごくあったかくてなつかしい光に包まれて、そうしたら妊娠してたんだもの」

「そうなんですか？」

と、有坂は木村芳夫に尋ねた。

「そんなわけないでしょう」

と、木村芳夫は目を開けて疲れたように答えた。「むちゃくちゃ身に覚えがありますよ、ぼくは」

真理子は聞いていなかった。

「だから、イエスさまのところへ挨拶《あいさつ》に行くの」

対向車のライトに照らされてほの見える真理子の顔は、聖性に光り輝いているのだった。

都心部を迂回《うかい》するように走り、川口のジャンクションからとうとう東北自動車道に入った。さえぎるものもなく、道は空《す》いていた。

運転を代わろうかと申し出ても、真理子は休むことなく前進しつづける。

もうだれも言葉を発さない。暗い窓の外に見るべきものもなく、真理子は眠くならないのだろうかとそればかりが気になった。

木村芳夫の携帯電話が鳴る。突然のことに、全員が反射的に体を揺らした。

「出て」

と真理子が命じた。木村芳夫が応じずにいると、

「貸して」

と肩のところで右手を返す。木村芳夫はためらった末に、ポケットから出した携帯を真理子に渡した。

真理子は表示された番号を確認し、黙ったまま携帯を自分の耳に押しあてた。あ、木村さん？　という女の声が漏れ聞こえた。

「どちらにおかけですか？」

感情のいっさいが欠落した声だった。真理子はアクセルを踏みこみながら、しばしそのままの姿勢でいた。それから、

「切れたわ」

と言って、シート越しに携帯をぽいと投げ返した。木村芳夫は受け止めた携帯を、またポケットに戻した。

有坂は自分の膝《ひざ》を掌で二、三回叩《たた》いた。私は息苦しくてコートを脱ぎたかったが、動くことがはばかられたので我慢した。

「トイレに行きたい」

と真理子に頼みこんで、国見《くにみ》のサービスエリアに寄ったときには、すでに日付が変わっていた。

セーターだけで車外へ出た真理子を留《と》め、私は自分のコートを着せかけた。

「あんまり体を冷やしたらよくないよ」

真理子は黙ってうなずいた。真理子と一緒にトイレへ行った。深夜の女子トイレにはひとけがなかった。春夏物の服でこんなところにいる自分がひどくまぬけに思えた。

用を済ませ、並んで洗面台の前に立つ。白々とした空間で、真理子はうつむき加減に手を洗った。

トイレから出ると、有坂が煙草を吸っていた。そのそばで木村芳夫がなにをするでもなくただぼんやりと立っている。私は二人の横で立ち止まったが、真理子は柱をよけるときのように視線をやりもせず、停めてある車へまっすぐ戻っていった。

「このまま俺たちが勝手に帰っちゃったら、彼女、怒るだろうなあ」

有坂が言った。「ま、帰りようがないけど」

「すみません」

と木村芳夫が言った。私は煙草を持ってこなかったので、有坂から一本もらって吸った。

「信ちゃん、どうしてついてきたの。どう考えても、今夜中に家に帰れることにはなりそうもないよ？」

「俺は出勤しなきゃならないところがあるわけじゃないし、エルザも明日、もう今日か。今日は休みだろ？　急に思い立って旅行してると思えばいいじゃない」

「すみません」

と木村芳夫がまた言った。この男の、蜃気楼《しんきろう》のように実体のない謝罪を聞くのは何度目だろう。

「木村さんはどうするんですか？」

煙草を灰皿に落としながら有坂が聞くと、

「朝になったら、会社に欠勤の連絡をします」

と、木村芳夫は悄然《しょうぜん》と背中を丸めて答えた。「どうしてこんなことになっちゃったのかなあ」

他人事《ひとごと》みたいに嘆いている場合か。私は煙草をねじ消した。木村芳夫のすべての言葉、すべての動作が、不快な刺激となって私をいらだたせる。きっと相性が悪いのだ。

有坂は車に向かいながら、

「奥さんは本気で信じてるんですか」

　と言った。

「なにをです」

　木村が小走りで有坂の隣に並んだ。会話に加わりたくなかったから、私は少し遅れて二人のあとを歩いた。

「神の子を妊娠した、と」

「さあ……」

「奥さんには、なにかほかに言いたいことがあるように俺には見えますけど」

　木村は、どうなんでしょうねえと首をひねり、さっさと後部座席に乗りこんでドアを閉めた。私と有坂は反対側のドアを目指すべく、車の前をゆっくりと横切った。

　車内から見えないように顔の角度を調整し、

「腹が立ってしょうがない」

　と私はつぶやいた。

「それは友情？」

　と有坂が尋ねた。

「どういう意味？」

「いや……」

有坂は立ち止まり、目を伏せて少しのあいだ言葉を探しているようだった。「さっきエルザは、どうしてついてきたのかって聞いたね？」

「うん」

「そのほうがいいような気がしたから。引きとめられるかもしれないと思ったんだ。きみを」

引きとめるって、どこへ？　なにから？　残響まで計算しつくした楽譜みたいに、いつもだったら有坂の言いたいことが明確に伝わってくるのに、今夜にかぎってはまるでわからない。

なんだかおそろしくなった。

たしかにあったはずの境界が、溶けて崩れた錬成会。それに似た夜がまた来るような気がした。

助手席はすでに、きちんと畳まれた私のコートでふさがっていた。

窮屈な後部座席に収まると同時に、車は黒い川のような高速道路を走りはじめた。

爆弾を投じたのは有坂だった。

「ところで、だれからの電話だったんですか？」

「信ちゃん」

小声でいさめても、「だって気になるでしょ」と有坂はうそぶく。

木村は気を悪くしたふうでもなく、

「会社の同僚ですよ。もう遅いし、朝になったらかけなおして用件を聞きます」

と答えた。真理子は歌うように、「かいしゃのどうりょう」と言った。

車内は静かになった。

眠ったまま天国に着いていてもおかしくない。真理子はもしかしてそれを望んでいるのではないか。そう思って緊張しているはずなのに、睡魔は霧のように脳みその襞《ひだ》に忍び入ってくる。

わずかな振動にはっとして目覚めると、車はまたどこかのサービスエリアに停まっていた。

「トイレに行きたいひとは行って」

有坂と木村芳夫が、両側のドアを開けて出ていった。有坂が大きくのびをする向こうに、「紫波《しわ》ＳＡ」という表示が見えた。迫りくる光の予感とせめぎあいながら、夜はその一番深い闇の時刻を迎えていた。

「エルザは行かないの？」

私は首を振った。真理子をひとりにするつもりはなかった。

「いまにはじまったことじゃない。やめてって言っても、『きみは勘違いしてる』って、いつもはぐらかす」

真理子はハンドルから両手を離した。なんの話かはすぐに見当がついた。

真理子がわずかに開けた窓の隙間《すきま》から、東京とは比べものにならない冷気がなだれこんでくる。

「私はもうずいぶん、なにも聞こえないし見えなかったの。前はあんなに感じることができたのに」

真理子の声は細く精緻《せいち》に縒《よ》った糸みたいだった。

「うん」

大切な秘密をだれにも聞かれたくなくて用心するときのように、私はささやきで答えた。

「でもこのごろまた、感じられるような気がするのよ。花びらみたいに、雨みたいに、光が降ってくる気がする……」

「わかってる」

真理子が閉ざされていくのがわかる。なにも知らなかったころの、喜びに包まれて回路を開いていた真理子とはちがう。暗い道をたどって、自分のなかへ入っていこうとしている。

おなかにいるのは、木村芳夫の子なんかじゃない。神の子だ。世界中のだれが信じなくとも、私だけは認める。真理子が生むのは神の子だ。それではだめなのか。

いくら私が認めても、あなたはたったひとりで遠くへ行く。どこかへ行ってしまう。あの男が本当に真理子を裏切っていたとして、それを許せないと思うほど真理子があの男を愛していたなんて。

信じられない。信じたくない。

八戸《はちのへ》インターチェンジで高速道路を下りた。まだ夜明けは来ない。道は平野部を離れ、さだめられたように山のほうへのびる。すれちがう車はなく、人家の小さな灯火がまばらに闇にまたたく。自分たちの乗る車のヘッドライトだけが頼りだ。

真理子は地図を見ようとしない。見ても意味がなかっただろう。いまどこにいるのかまったくわからなくなった。背中が強《こわ》ばり、腰が痛む。疲労は極《きょく》に達しているはずなのに、意識だけが冴《さ》えわたる。

真理子は母親を探す小さな子どもみたいな切実さで、たまに細い脇道《わきみち》に入ってはまたもとの道に戻ることを繰り返した。宇宙のように天も地もない暗黒に包まれ、車はゆっくり進んでいく。

「このあたりだと思うのに、わからなくなった」

真理子は川沿いの道で車を停めた。エンジンを切ると、あたりは音さえも黒く染まるほど真っ暗になった。

「感じられないはずがないのに」

眠ってしまったのかと思うほど静かな時間が流れたが、真理子は耳を澄まし、目を凝《こ》らしていたらしい。

「ああ、あそこ！」

花々の咲き乱れる野原を見つけたみたいにはしゃいだ声で言うと、ドアを開け放したまま反対車線のガードレールまで走り寄る。その下はすぐ川だ。

「真理子！」

有坂を押しのける勢いで、私も後部座席から外へまろび出る。皮膚が薄くなったのかと一瞬思ったほど、氷よりも冷たい風が吹きよせた。

「見て、エルザ」

真理子は、川向こうのこんもりとした森の影を指さした。「光が射《さ》している。きっとあそこだ。なんてうつくしいのかしら……」

同じものを見ようと真理子の指の先をたどっても、私の目にはどうしたって光など映らないのだ。

「どこなの、真理子。私にはよくわからない。ねえ、教えて」

行ってほしくなくて必死に呼びかけても、真理子はもう答えない。確信に満ちて一点を見つめたまま、上流へ向かって数歩進み、ついで見えない力に後押しされるように走りだした。

「待って、真理子！」

黒いセーターはすぐに闇にまぎれてしまう。川に落ちたのではないかと思ったが、そうではなかった。真理子は小さな橋を渡って、なおも森を目指しているのだった。

走ってあとにつづこうとして足がもつれた。薄い生地のロングスカートがまとわりついて邪魔だ。

ようやく追いついた木村が、

「暗くて危ない。ぼくが行きます」

と川を越えていった。その姿もすぐに消える。

あんたになにができる。真理子がどれだけ純粋に愛するひとか、なにも知らずに享《きょう》受《じゅ》するだけだったくせに。知ろうともせず、その激しさをただ恐れるだけだったくせに。

こんなふうに考えるなんて、私はおかしい。おかしいとわかっているのに、木村芳夫を憎悪《ぞうお》する気持ちを抑えることができない。

かつて空からなだれおちて真理子を包んだ聖なる光。それとよく似た濁流がほとばしり、隠されていた真実が夜のなかでついに明らかになる。

せきとめられながら、いつかあふれだし押し流そうと私を待っていたもの。

「エルザ、木村さんに任せよう。行っちゃだめだ」

肩をつかむ有坂の手を、私は身をよじって振りほどこうとした。

「私、真理子が好きだった」

「うん」

「好きなの」

「うん」

あたりの闇と同じ色をした有坂の目が、私のなかから浮かびあがったものの正体を、はっきりと見定めているのがわかった。

真理子はまだ戻ってこない。やはりあの男ではいけないのだ。真理子を連れ戻すことなどできないのだ。

真理子と同じ場所まで降りていくことも。

浮遊する魂をこの世につなぎとめたいと願う強さで、有坂がどんなに手を握ってくれようとも私は行く。求めても与えられず、探しても見いだせず、門をたたいても開かれることのない道を。

そうだ私は恋をしている。

「まりこぉぉぉ、まりこぉぉぉ」

叫ぶように呼んだ。

夜を流れる水の音。真理子に「おやすみ」を言われ、もう一度ベッドに戻ったあのときから、私はずっと夢のなかにいるのかもしれない。永遠に終わることのない夢のなかに。

骨片

実際のところ、私はすでにこれを持てあましている。

一時の激情が過ぎ去った今となっては、これはただの断片にしかすぎぬ。あの時はもう、私たちをつなぐものが何もかも失われてしまうと思われて、私はおののきながらもこれをこっそりと掌《てのひら》に収めたのだが。

生きている先生と最後に会ったのは、大学の卒業式の日であった。春というには肌寒いその日、私たち学生は卒業証書を手にいつまでも去りがたく、薄闇《うすやみ》があたりを覆《おお》うまで先生の研究室で語らっていた。

学部全体で見ても、女子学生は十数名しかいなかった。畢竟《ひっきょう》、その全員と私は顔見知りであったわけだが、職業婦人になる者もあれば嫁ぎ先が決まっている者もあり、女でありながら大学を出て、その結果郷里で家業を手伝うしかない者など私ぐらいのものだった。

その年の卒業生で先生の直接の教え子は五人あり、そのうちで女は私一人であった。仲間の男子学生たちはそれぞれ、卒業の喜びと若干の不安に胸震わせ、明日から漕《こ》ぎ出していく社会への責任感に顔を輝かせていた。私はつい昨日までの友人であった彼らがふいに遠くへ行ってしまうような、自分だけが取り残される心持ちがして、研究室の中で一人、うつむきがちであった。

「蒔田《まきた》さんはこれからどうするんだったかな」

先生は至極穏やかに、卒業証書の入った筒を握りしめるばかりの私に話しかけた。

「家業を手伝いますの。兄が家を継いでおりまして、今までずいぶん無理を聞いて私を学校にやってくれましたから」

私は自尊の感情からくる羞恥《しゅうち》で息苦しくなりながら、ようよう答えたものだった。

「お家《うち》は何をやっておられるの」

「あんこ屋です」

これまで私は、そのことを友人たちの誰にも言ったことはなかった。何を恥ずかしがることがあるものか。家の者は誇りを持って仕事をしているし、これまで私が学問に打ち込むことを嫌な顔一つせずに応援してきてくれたではないか。いくらそう言い聞かせても、高い志を語る友を前にしては、女の身で大学にまで来た私が、医者や外交官や大きな商家の娘ではなく、菓子の材料を作る小さな店の娘であることを言うのは憚《はばか》られた。

その部屋にいた学生たちの誰も、私の家の職業を聞いて笑う者などいなかった。先生の下《もと》に集う学生たちは皆、心根の涼やかで誠実な人間ばかりだったし、貧しい村から上京し、奨学金を得て苦学する者がいることを私は現に知ってもいたのだ。それなのに私は自分の生まれた家の生業を恥じた。女の身で勉学など、ましてや文学などなんの腹の足しにもならぬことをしてなんになる。これまで何度となく言われ続けた言葉が、投げかけられ続けた視線が、私の怯懦《きょうだ》と卑屈な心を煽《あお》った。そしてまた、そんな周囲の偏見に挫《くじ》け、家業を、身につけた学歴を、恥じ続ける自分を恥じた。ここには私を白眼視する人間など誰もいないにもかかわらず、すべてを恥じている。そんな自分を恥じた。

「明日からは餡《あん》をこねるのです」

わずかな沈黙さえも耐えがたく思われ、私は早口でしゃべった。「文学とも、ましてや国の発展とも関係のない毎日で……」

私の言葉は掠《かす》れて途切れたが、先生はそれには気づかなかったかのように少し微笑《ほほえ》んだ。

「私も国のためになるようなことはしたことがないな」

と先生は言った。「それにね、蒔田さん。文学は確かに、餡をこねること自体には必要ないものかもしれない。だが、餡をこねる貴女《あなた》自身には、必要という言葉では足らないほどの豊穣《ほうじょう》をもたらしてくれるものではないですか」

うつむけていた顔を上げ、思わず先生の姿を正面から見た。粗末な木の椅子《いす》に腰かけた先生の、若々しい目には情熱が溢《あふ》れていた。

「私たちは一緒にブロンテ姉妹の作品を読みました。蒔田さんは特に、『嵐《あらし》が丘《おか》』についての熱心な発表をした」

先生を取り囲むようにして集った私たちは、先生の講義に聞き入った時と同じように、先生から迸《ほとばし》る文学への愛情にいつしか耳を傾けていたのであった。

「あの作品の舞台は、荒野とそこに建つ二軒の家しかないと言っていいでしょう。だがその世界を狭いと感じる人がいるでしょうか。いや誰もいない。そこにはすべてがあります。愛と憎しみが、策謀と和解が、裏切りと赦《ゆる》しが、その他ありとあらゆる、人間のすべてが嵐が丘にはある」

先生はそう言って、私たちをゆっくりと見回した。

「君たちはそのことを、よく心に留めておかなければいけません」

日々はさしたる変化も見せずに過ぎていく。

家は変わらず甘い香りに満ち、店先には慌《あわ》ただしく訪れる客の気配がする。出入りの業者と兄とのほとんど喧嘩腰《けんかごし》とも取れるような商談が奥にまで聞こえ、嫂《あによめ》は子どもたちをあやすのに忙しい。母は職人たちを監督しに工場へ行ったのか、朝から姿が見えぬ。私はといえば、今夕おこなわれる組合の戎講《えびすこう》に向けての準備で、大鍋《おおなべ》に煮物を作ったり赤飯を炊《た》いたり、蔵から椀《わん》を出してきたりで化粧をする間もないほどだ。

日が翳《かげ》りだしたので薄暗い階段をぎしぎしいわせて二階に上がり、物干し台から洗濯物をとりこんだ。夜に畳めばいいだろうと障子を開けて自分の部屋に洗濯物を放り込み、ふと、着物の裾《すそ》が埃《ほこり》で汚れていることに気づく。

蔵に溜《た》まっていたのであろう白っぽくさらさらとした埃を払ううちに、私はいつしか畳の上にへたりこんでいた。襷《たすき》を外し、帯に挟み込むようにして締めていた前掛けをほどいて投げ捨てる。

這《は》うようにして鏡台に近づき、腕をのばして少しばかりの化粧品の瓶を払いのける。指先はすぐに、乾いて硬い感触を探り当てた。

私は畳の上に横倒しになったままそれを握りしめ、胸に押し当てた。

ヒースクリフの眼前にキャサリンの亡霊が現れたように、先生が私の前に現れてくれたなら。これを取り返すために、私を訪《おとな》ってくれたなら。恨みがましげでもいい。

青白い幽鬼となって私のほうにささくれた指をのばしたとしても、私はきっと泣きながら先生に取りすがるだろう。

だがここは嵐が丘ではなく、さびれた城下町の一角だ。うねるような情熱をぶつけあった恋人たちと違い、先生は私の憧《あこが》れと恋情など知らずに死んだ。私は先生に心を告げる術《すべ》を永遠になくし、今や彼岸と此岸《しがん》は厳然と隔てられている。硝子戸《ガラスど》の向こうでは、葉を落とした梢《こずえ》がかすかな風に震えるだけだ。

「朱鷺子《ときこ》、朱鷺子」

人の気配を感じて、襖《ふすま》の向こうから祖母が声をかけてくる。私は先生を偲《しの》ぶたった一つのよすがとなったものを鏡台に戻し、慌てて立ち上がった。こつ、と残酷なまでに陰のない音を立てて、それは元通り鏡台の上に転がる。

私はもはやそれを憎んでいると言ってもいい。先生であった欠片《かけら》はすでに、煩雑《はんざつ》な日常の中で私を苛立《いらだ》たせこそすれ、慰めることはほとんどできなくなっていた。

祖母はおかしな人で、体はどこも悪くないのにいつでも床《とこ》に伏せっている。いくら子どもの頃の記憶をたぐっても、祖母が起き出して家事をしている姿や、ましてや外出したところなど思い出せぬ。そればかりか、私の母がこの家に嫁入りしてきた時にはすでに、今のように日がな寝床でうつらうつらしているだけの生活だったそうだ。

それでも祖母は、特別に大病をしたわけでもなく、むしろ体はいたって頑健で、脳がおかしいというわけでもない。亡《な》くなった私の父は、四人女が続いた後の末っ子だったので、祖母はもう八十に手が届こうかという高齢だ。その割には、そして刺激のまったくないと言っていいほどの毎日を送っている割には、記憶はしっかりしたもので、口も達者であった。

部屋の境の襖を開けると、祖母はいつもどおり首もとまでしっかりと布団《ふとん》を引き上げて、薄日の当たる畳にのべられた寝床で横たわっていた。

「今日は戎講のある日だろう」

祖母はわずかに顎《あご》を引くようにして、目だけ私のほうに向けた。私は後ろ手に襖を閉めて、祖母の枕元《まくらもと》に正座する。この祖母のよいところは、すきま風さえ入らぬようにすれば、作法などについてあれこれやかましく言わぬことだ。

「ええもう、朝からてんてこ舞いですよ」

私の皮肉が祖母に届いたためしはない。祖母は大仰《おおぎょう》にため息をつき、「いやだよ」と言った。

「外はもうずいぶん寒くなって、風邪の菌をまき散らす人も多かろう。二階の座敷でやるんだろう。この部屋はよく閉め切って、あっためてくれないと」

「そうするわ、おばあさん」

祖母に病的なところがあるとすれば(嫁に来てから六十年近く寝てばかりいることだけで充分に病的であるが)、この風邪に対する異様なまでの用心の仕方であった。祖母は幼い頃にささいな風邪が元で弟を亡くしたことがあるそうだから、そのことが脳裏から離れないのであろうと母は言う。だがそれだけで、はたして人間はちょっとした買い物や近所の人との立ち話や芝居見物やらをすべて放擲《ほうてき》できるものなのだろうか。

祖母は二階の自室から出ようとせず、来客すらも風邪のはやる冬には断る。暖かい季節にはたまに階下に下りて家族の者と食事を共にするが、ほとんどは寝床まで運ばせる。寝間着の袖《そで》が一寸《いっすん》短いと言っては寒気がすると震え、繕い物をしていた鋏《はさみ》を枕元に置き忘れたりしようものなら、ベルを鳴らして家人を呼び寄せ、ひんやりと冷たくて眠れたものではないと言う。

「寝てばかりいるというのもつらいものだよ」

と祖母は布団にくるまってつぶやく。「『はたらく』という言葉には『らく』という字が入っているだろう。働けるのはまだしもましさね」

母などは笑って、「そうですねえ」と受け流すが、私はとてもそんな心持ちにはなれぬ。それでも祖母にはどこか憎めないところがあって、今も私は祖母のためにとりあえず、自室にあった灯油ストーブを運んでやった。

祖母はまだそばにいてほしそうな風情《ふぜい》であったので、私はとりこんだ洗濯物も祖母の部屋に運び、枕元で畳みはじめた。祖母は身を起こしてそれを手伝うでもなく、相変わらず顎まで布団にうずめながら私の仕事を眺めている。私はたまに顔を上げて時計を確認する以外は、手元にじっと視線を落としたままだった。

いったい祖母は半世紀以上も、この狭い部屋に閉じこもって何を考えているのだろうか。何を楽しみとし、何を悲しみとして生きているのか。

祖母は年老いた今でも、充分に整った目鼻立ちをしている。肌は白くすべらかで、髪は寝るのに邪魔にならぬよう緩くまとめられ、決して見苦しくはない。

だがそんな祖母が正装している様を見たのは、父の葬式の時だけである。父は、今は私が自室として使っている部屋で、長患《ながわずら》いの床についていた。しかし祖母は、一度たりとも隣室に足を踏み入れはしなかった。たとえそこで苦しんでいるのが自分の息子であろうとも、病室に入るなど祖母にしてみれば自ら三途《さんず》の川に足を踏み入れるがごとき所業に感じられたのだろう。

さすがに通夜《つや》と葬式には起き出して、喪服を着て座っていたが、母と兄と私が火葬場から帰ると、もう元通り床の中にいた。まだ十代の半ばだった私は、その時ばかりはこの人と自分は本当に血が繋《つな》がっているのであろうかと疑ったものだ。

祖母が布団の中で寝返りを打ち、私のほうに体を向けた。そして、

「壺《つぼ》を取っておくれ」

と言う。私は祖母の枕元に常に置いてある有田焼の壺を取り、蓋《ふた》を取って口を祖母のほうに傾けた。祖母は布団から手を伸ばし、中から白い砂糖菓子を一つ取って、ばりばりとうまそうに咀嚼《そしゃく》した。

階下の柱時計が四時を打つ。

「後で湯たんぽを入れてあげますから」

そう言って私は立ち上がり、再び襷を掛け、前掛けをつけて、橙色《だいだいいろ》の明かりを灯《とも》した階段を下りた。床板の鳴る音が、祖母のものなのか私のものなのか知れぬ、情念のきしみのようであった。

戎講が終わり、酔った男たちがようやく家路につく。気を使う嫂に早めの就寝を促

し、台所で洗い物がようやく終わったのは、日付も変わる頃であった。兄は今ごろ子どもたちと一緒に布団の中で高いびきだろう。使用した塗《ぬ》りの椀の手入れは明日にまわすことにして、私は家中の火の元を確認してから二階の自室に床をのべた。

冷たい水で洗って張りつめた頬に化粧水をはたきこみ、私は身を横たえた。肌の手入れをしてなんになろう。暗がりの中で声もなく笑う。この町に私を娶《めと》ろうという男などいない。酌をしてまわり、次々と卓に料理を運ぶ私に、男たちは口々に言う。もったいないね、学士さま。学士さま、講義をしてくださいよ。

彼らには悪気などない。ちょっとした物珍しさと、どう扱えばいいのかわからぬ女に対する照れ隠しがそれを言わせているだけだ。ここは私が生まれて育った町だから、彼らの気風も人の良さもわかっている。だが息苦しい。盆を投げ捨てて叫びだしてしまいたいが、何を叫べばいいというのだろう。

私はふと起き上がり、父の使っていた古い丹前《たんぜん》を羽織って襖を開ける。

祖母は軽くいびきをかいて眠っている。布団の中に手を差し入れ、洗い物をしている途中で一度湯を入れ替えた湯たんぽがまだ温かいことを確認する。絞ってあったストーブの火を完全に消し、私はしばらく祖母の部屋にたたずむ。

祖母は在郷《ざいごう》の貧農の出身だ。小豆《あずき》の買い付けに行った祖父に容色を見そめられ、請《こ》われて商家の嫁になった。田舎から突然連れ出された祖母には、ひらけている城下町の雰囲気も、人の出入りの慌ただしい商家の暮らしも、苦痛としか感じられなかったのだろう。闇の中で祖母の寝息を聞きながら、私はそんなことを思った。

祖母も何かを叫びたかった。言葉にならぬ叫びは祖母の身のうちに降り積もり、やがて起きることもままならぬほどに重くなる。自分の内部にしこったものを見据えるのはつらい。祖母は保障された日々に身を委《ゆだ》ね、安寧の中にたゆたうことを選ぶしかなかったのだろう。

では私はどうか。このあたりの男たちの誰よりも高い教育を受け、先生の薫陶《くんとう》を一身に浴びたはずの私はどうか。書物をひもとく時間もないほど家事に奔走し、叫ぶための声を押し殺している私は祖母とどこが違うというのか。

私は部屋に戻り、先生の欠片を手にした。丹前を脱いで寝床にもぐりこみ、先生の欠片を掌で弄《もてあそ》びながら、眠るにふさわしい温《ぬく》もりが布団にこもるのを待つ。肌に伝わる先生の硬質な感触。私は足指を擦《こす》りあわせ、身を捩《よじ》らせてため息をついた。

先生が亡くなったと店に電話がかかってきたとき、取り次いだ手伝いの少女は私が卒倒するのではないかと思ったそうだ。「お嬢さんの顔色こそ死人のようにおなりでしたよ」とその子は言った。

通夜には到底間に合わぬ。電話口で、大学に残って先生の助手をしていた猪原《いのはら》が、「取り乱さずに」と何度も繰り返していたのを覚えている。猪原は青ざめた顔をして、翌日上京した私を駅で出迎えた。

「突然のことで、僕にも何がどうしたのか皆目《かいもく》……」

と猪原はうめいた。

その朝、講義の準備をする時間になっても先生は現れなかった。不審に思った猪原が、大学の裏手にある先生の下宿に様子を見に行くと、先生は文机《ふづくえ》につっぷすようにしてすでに絶命していたということだ。

先生はまだ青年と言ってもいいほどに若々しかったし、持病もなかったはずだった。

「どういうことなの。まさか、まさか……」

と喘《あえ》ぎ喘ぎ問いただしたが、猪原は私を安心させるように首を振ってみせた。

「いや、病死だ。医者が言うには、たぶん急な心臓の発作でも起こったのだろうと」

そんなことがあるものか。健康な、四十になるかならぬかという人間が、こんなに急に死ぬはずがない。私はそう自分に言い聞かせ、早足で歩く猪原の後を追った。これはきっと何かの冗談なのだ。学生時代の他愛もない悪戯《いたずら》の延長だ。だがそんな儚《はかな》い思いも、棺に納められた先生の死に顔を見るまでだった。

先生が学生時代から住んでいた下宿は、主《あるじ》の老婆《ろうば》の好意で斎場と化していた。開け放たれた玄関戸にはすでに提灯《ちょうちん》が掲げられ、黒白《こくびゃく》の幕が張られた座敷に見知った顔もちらほら集まっていた。私は部屋の隅にくずおれた。それからのことはよく覚えていない。

先生の郷里から親兄弟らしき人々が駆けつけたことも、研究一筋で未婚であった先生であるから、葬儀が大学関係者の手によってほとんど執り行われていたことも、ぼんやりと頭の片隅にあるだけだ。気がつくと私は、猪原に頼み込んで火葬場まで同道していた。

近親者から順に、竹の箸《はし》で先生の骨を拾っていった。先生の骨は白くしっかりとしていて、それがますます私を混乱させた。これが死ぬ人間の骨であろうか。何かの間違いとしか思われぬ。今すぐ土でもなんでもこねて、あの骨に肉付けして先生を甦《よみがえ》らせねばならぬ。そんな思いにとらわれもした。

しかし頭のどこかには冴《さ》え冴《ざ》えとした部分も残っており、そうだ、足のほうの骨から順に骨壺に納めるのだった。父の時もそうだった、などと考えているのだ。

私は猪原と共に箸を使い、先生の骨を拾い上げて壺に入れた。突然のことに悲嘆にくれる先生の両親はもとより、その場には私の存在に不審の念を抱くような余裕のある者は一人もおらぬ。壺はもう一杯になろうとしていた。火葬場の人間が遠慮がちにではあるが、竹の箸で骨壺の中の骨を無理やり押し込めるようにした。ばきばきと骨の折れる乾燥した音が響いた。少し壺に余裕ができて、人々はまた骨を拾いはじめた。最後に火葬場の人間が選り分けておいた喉仏《のどぼとけ》の骨を納め、骨壺は封をされて白木の箱に収められた。

ほとんど猪原に支えられるようにして立っていた私は、そのとき台の上に残っている先生の骨を見ていた。あれはどうなるのだろう。このまま再び火葬場の釜《かま》に入れられて、柔らかな灰になるまで焼かれるのだろうか。

それぐらいなら。私は何かに取り憑《つ》かれたかのようにふらふらと台に歩み寄った。互いに挨拶《あいさつ》を交わす会葬者も、骨箱を布で巻いている火葬場の人間も、誰も私を注視していなかった。それを確かめ、私は先生の骨片を一つだけ、そっと台からかすめ取ったのであった。

先生であった骨は硬くて軽く、私の掌にすんなりと収まった。それはまだわずかに温もりを残しており、私は先生の断片を手に入れたことでようやく、本当にようやく、安堵《あんど》の涙を流した。

「あなたの姓名には、『とき』の字が二つ使われている勘定になりますね」

研究室を出て大学の門までのわずかな道のりを、先生と歩いた時の会話が思い起こされる。

「まあ、あまり自分に馴染《なじ》んだもので、かえって気がつきませんでした」

「よいお名前です」

「私は女ですから、結婚することになったら姓は変わってしまいます」

「ああ、そうか」

と先生は呟《つぶや》いた。「結婚する意思はおありなんですか」

「いいえ」

そしてすぐに私は付け足した。「いいえ、わかりません」

考えてみれば、私は先生に触れたことなど一度もない。その唇はもちろんのこと、先生の指先の感触すら、私は知らぬままである。

それなのに、私は先生の骨の一部についてばかりは誰よりも、先生自身よりも知悉《ちしつ》している。私はそれを日がな掌で弄び、頬ずりし、握りしめて共に眠る。時に唇で押し包むようにしゃぶってみたり、そっと歯を立ててみたりもする。

あんまりいつもいじくっているものだから、近ごろなんだか先生の骨には艶《つや》が出てきたようである。だがそれは相変わらず先生の乾いた断片にすぎず、ほとんどを家の内ですごすほかない私の慰めとはならぬ。

この骨片をどうしようかと考えるのが、私の次の楽しみとなった。

細かく砕いて、祖母が大切にしている壺の中に入れてやるのはどうだろう。嬉《うれ》しそうに砂糖菓子を食べる祖母を眺めながら、そんなことを思う。白い粉のついた砂糖菓子。きっと祖母は何も気づかずに先生の断片を食するだろう。

いや、それぐらいならば私が自分で食べてしまおう。粉末にして致死の薬のようにさらさらと水で流し込むのがいい。土の中でキャサリンと溶け合っていくところを夢想するヒースクリフのように、私は私の中に先生が入ってくるところを想像する。私たちは混じり合い、先生は私の骨肉となる。

そうだ、墓はどうか。先生の遺骨は先生の郷里に帰っていった。先生の墓を暴《あば》き、この骨片をひっそりと何事もなかったかのように骨壺に戻すというのはどうであろうか。白々とした先生の骨の中で、これだけはわずかに磨かれたような光沢をもって、再び土中に眠るだろう。暗い土の底で、まるで先生から私への合図のように輝く一片の骨。

年末年始の贈答用の品を作るにはまだもう少し間のある、穏やかな冬の日のことであった。

組合の寄り合いから帰宅した兄が、「嫁に行かないか、朱鷺子」と言った。私は思わず茶をいれていた手を止めた。兄は店の餡が使われた羊羹《ようかん》を齧《かじ》り、味を確認するように目を閉じて口を動かしていた。

「納戸町《なんどちょう》の津田金《つだきん》の分家筋にあたる人の息子が、来年東京の大学を出るんだそうだ。おまえよりは少し年下になるが、悪くない話じゃないか」

津田金はこの地方で一番古い和菓子の店で、この家とも取り引きがある。兄はどうやら寄り合いで縁談を持ちかけられたようなのであった。

「でも……、来年の春にはまたお兄さんに子どもが生まれるじゃありませんか。家にも人手が必要なのでは」

「もちろんおまえがいてくれると助かる。だが、この縁談が最初で最後のものになるかもしれないのも確かだ。まあ考えてみなさい」

大学に通っている間に縁談の話も来なくなったほど、嫁に行き遅れている身ではある。だからといって、どんな人物かもわからぬ男と結婚と言われても実感の湧《わ》きようがない。考えろと言われても具体的に考えるべき事柄もなく、嫂の用意した夕食の膳《ぜん》を、二階の祖母の部屋に運んだ。

祖母は布団の上に起き上がり、肩にきっちりと綿入れを羽織ってから箸を取る。旺《おう》盛《せい》な食欲を見せる祖母は、横たわったまま五人の子を孕《はら》み、生み落としてきたことになる。そう考えるとなにやらぞっと悪寒《おかん》が走る。家の二階で始終寝ているこの老婆。男が早死にの家系の中で、母と嫂を除けば、今生きているすべての人間が、この女の胎《はら》に収斂《しゅうれん》されていく。女王蜂《じょおうばち》のふくれた腹。

普段なら膳を置いて少しすれば階下に戻る私が、いつまでも傍《かたわ》らにいるので、祖母は少し怪訝《けげん》そうである。私は祖母をからかってみたい気になり、つと立ち上がって隣室から先生の骨片を取ってきた。

祖母は壺から取った砂糖菓子を囓りながら、

「それは何だい」

と聞いてくる。

「骨よ。人の骨」

祖母は真偽のほどをはかるように、私の掌の中の物と私の顔とを見比べていたが、やがて、

「いやだね」

と顔をしかめた。「そんなものを持っておくもんじゃないよ。早くどうにかしておしまい」

特別怯《おび》えるでもなく、誰の骨なのかと問いただすこともなく、祖母はもう先生の骨からは興味を失ってしまったようだ。私は祖母に何かを聞いてほしかったのだろうか。当ての外れた軽い失望を味わいながら、私はなおも掌で骨を転がした。

「おばあさんは、結婚して幸せだった？」

祖母は、私の問いかけの真意はよくわかっていないようだった。

「どこに行ってもおんなじさね」

ただぽつりとそう言って、また砂糖菓子を囓るのである。

もしも本当に、どこに行っても同じなのだとすれば、迷い焦《あせ》り悩んでいる私の心の動きはすべて無駄なものだということになる。

私は先生の骨片をそっと握りしめた。


返事が年を越すのは悪いという話になり、私は兄から縁談をどうするかの返答を迫られる。

「どうするかと言われても……」

判断の材料など釣書《つりがき》と写真が一枚ずつしかない。兄は私の煮え切らぬ態度に焦《じ》れたのか、

「嫁に行きたいのか行きたくないのかどちらかということだ」

と卓に身を乗り出すようにした。兄は私の結婚に対する考察を期待したのではなく、ただ私の心情を知りたかっただけらしい。

「どちらでもよろしいんですか」

私は顔を上げた。「そんなら私は嫁に行きたくありません」

私は先生が好きである。先生がもうこの世の人ではなくとも、先生と私の間に血の通った男女の語らいが一度たりともなかったとしても、私が先生を好きだということは変えられないのである。もしもそのことを曲げて私が誰かの妻になったとしても、世間の誰も私の恋情を知らぬのだから、私を指弾する者はあるまい。しかしそれでは、私は私の心に対して大きな背信を犯すことになる。

己れの心に対する背信の淵《ふち》に沈んでいる人を、私は生まれた時から身近で見ている。祖母は己れの心に刺さった何らかの棘《とげ》が、自分を寝床へと打ちつけていることに気づいていない。気づこうとせぬまま結婚生活を続け、子を生み、自らの手で育てることも看取《みと》ることもせず、今日も健康を害することへの怖《おそ》れのみに震えながら寝床でまど

ろんでいる。

どこへ行っても同じ。祖母の言葉は半分は正しく、半分は間違っている。

祖母の寝床。その狭い世界。そこにどんな豊穣がひそんでいるのか、知っている者は誰もいない。もしかしたら祖母自身も知らないのかもしれぬ。己れの淵に沈むばかりで、踏みとどまって底を覗《のぞ》こうとしなかったためだ。怠惰を安定と見間違えたためだ。

私はその、人の陥《おちい》りやすい過《あやま》ちにははまるまい。私は今、それを心に決めたのだ。私の心の中に嵐が丘はある。荒涼として人の住みにくい大地。冬はすべてが枯れ果てて雪に閉ざされるが、短い夏の間には花が咲き乱れ、まるで天国のようになる場所。そこには人間のすべてがある。私は小さなその土地に踏みとどまって、あらゆる移ろいを見つめ続ける覚悟をつけた。

君たちはそのことを、よく心に留めておかなければいけません。

先生の最後の言葉が、私の心を春雷のように撃って行く道を照らす。

私は誇らしく晴れやかな心持ちで、顔を上げていた。私は心を偽らぬ。変化の乏しい居心地の悪い毎日だとしても、私は私のやり方でこの恋情を全《まっと》うせねばならぬ。

兄は「そうか」と言ったきり、座敷を出ていってしまった。

母は特別に何も意見をしなかったし、嫂も私が嫁に行かぬと聞いても嫌な顔はしなかった。小さな二人の姪《めい》が、

「じゃあおばちゃまどこにも行かないのね」

と喜んで飛びついてきてくれたことは、私にとってとても嬉しいことであった。


寒さがその最後の厳しさを見せるころ、祖母は死んだ。

正月を過ぎたあたりから、嫂の腹は今にも破けてしまいそうに大きくなり、母も私も家のことで忙しく、あまり祖母の話し相手になれずにいた。

ある夜、私は一日の仕事を終えて鏡台の前に座っていた。化粧品の瓶が触れあうわずかな音で、祖母は珍しく目を覚ましたようだった。「朱鷺子、朱鷺子」といつものように呼ぶ声がする。

「どうしたの、おばあさん。湯たんぽが冷えてしまったかしら」

「そうじゃあないよ。なんだか気になるんだ」

「何が？」

祖母は枕元のスタンドの紐《ひも》を引っ張った。黄色い光が畳の目をぼんやりと照らし出す。祖母の視線に促され、私は枕元に正座する。

「おまえは先《せん》だって、骨を持っていたね。あれはどうした。ちゃんとどっかにやってしまったかい」

私は少しの悪戯心が疼《うず》くのを感じた。

「ええ、おばあさん。細かく砕いて、おばあさんの砂糖菓子の壺に入れておきました。人の骨は薬になるって、昔の人は有り難がったんですってよ」

祖母はまたも、真偽のほどを探る目になって私を見た。その目がなんだか哀れに見えて、私はすぐに老人を脅かしたことを詫《わ》びた。

「嘘《うそ》。うそよ、おばあさん。まだ私の鏡台にあるわ」

「いやな子だよ」

祖母は私の言葉に引っかけられたことに、照れくさいようなおかしいような顔をして布団を引き上げた。

「朱鷺子。あの骨は庭に埋めるなりなんなりして、あんたの目に映るところから隠しておしまい。死んだ人間は、生きているものの前からは姿を消さないといけないものなんだ。あんたの我《わ》が儘《まま》で留めておいてはいけないよ」

「でもそれじゃあ寂しいわね。生きてる人も死んでしまった人も」

「なあに、死んだ人間はもう寂しくなんかない。生きている者にも、思い出は残る」

祖母はそれだけ言って、後はもうもぐもぐと口元を動かしているだけだった。「おやすみなさい」と囁《ささや》いて、私は祖母の部屋を辞した。

翌朝、朝食の膳を運んだ嫂が、祖母が眠ったまま死んでいるのを見つけた。

砂糖菓子の入っていた有田焼の壺を祖母の骨壺にすることは、兄によって拒否された。私はそれを残念に思った。あの壺を利用すれば、きっと祖母は喜んでくれたはずである。だから私は代わりに、祖母の死装束の懐《ふところ》に、薄紙に包んだ砂糖菓子を入れてやった。その時触れた祖母の肌はなめらかに冷えて、祖母の心の内にあったはずの謎《なぞ》はついに誰にも解くことができないまま、私たちはこの不可思議な生活を送った人を、ただただ見送るしかなかったのだった。

山の上にある火葬場で、祖母は骨になった。先生の骨と違い、それは脆《もろ》く細いもののように感じられた。私は小さな姪の一人と一緒に、苦労して骨を拾った。姪は箸をうまく扱えないことに焦れてすぐに手で掴《つか》もうとするので、それを押しとどめるのにひどく難儀した。

「お母さんを座らせてあげなさい」

私は姪を嫂のところに押しやっておいて、まだ蓋を閉められていない祖母の骨壺に近づいた。そして胸元から、大切に持ってきた先生の骨片を取りだした。誰にも見とがめられることはなかった。

祖母の骨壺は冷たい石の下に納められた。

私は墓に手を合わせ、晴れ晴れとした思いで墓地を後にした。これから蒔田家代々の墓を訪れるたび、私はひっそりと先生の墓参もすることになる。そしていつの日か、私は誰にも嫁がずに生涯を終え、この墓の下に入るだろう。先生の骨片が眠る、暗くて狭い空間に。私の骨壺からわずかに発散される熱に感応し、先生の骨片はかそけき音を立てて震えることであろう。

しかしそれはまだ先のことだ。

私はその日まで、私の嵐が丘で生きていく。『嵐が丘』に住む人々が、知恵と勇気と想像力をもって生きる道を切り開いていったように、私も私の嵐が丘を生き抜いていく。先生と過ごした日の思い出を胸に。

その世界を狭いと感じる人がいるでしょうか。

先生の問いかけは、いつまでもいつまでも、私の心にこだましているのであった。

ペーパークラフト

熊谷勇二《くまがいゆうじ》とは、品川で会ったのが最初だ。

眠ってしまった太郎《たろう》を抱え、里子《さとこ》が水族館と同じ建物内にあるカフェに行くと、夫の始《はじめ》が見知らぬ男としゃべっていた。里子は、ずっしりした重みを腕に伝えてくる太郎を揺すりあげながら、少し離れた場所に立って、二人の様子をしばらく見ていた。

夕方と言うにはまだ早い時間で、店内は午後のお茶を楽しむ家族づれやカップルでいっぱいだった。どのテーブルにも、軽やかな色合いのパフェやケーキが載っている。店の中心にはなぜか、大きくて本格的なメリーゴーラウンドが据えられている。だれも乗り手がいないまま、偽物《にせもの》の馬と馬車は華やいだ音楽とともにまわりつづける。

コーヒーカップだけを置いたテーブルを挟み、始と男は笑いあっていた。気まずくぎこちないふうでも、照れて嬉《うれ》しそうでもあった。古い知りあいのようだと里子が判断をつけたとき、始が里子と太郎に気づいた。

「おう、こっちこっち」

と始は椅子《いす》に座ったまま手をあげた。里子は夫のいるテーブルに近づいていき、男に向かって会釈《えしゃく》した。男も会釈を返した。

「高校んときの野球部の後輩で、熊谷勇二」

と、始は男を紹介した。「コーヒー飲んでたら声かけてくるから、驚いたよ。十五年ぶりぐらいかなあ。すごい偶然があるもんだって、話してたとこ」

里子は「はじめまして」と勇二に言った。

「結婚して五年になるんだ」

と、始は勇二に向き直った。「嫁さんの里子と、息子の太郎」

勇二も「こんにちは」と言った。

休日に一人で水族館に来たんだろうか、と里子は思った。始の後輩ということは、里子ともそう年は変わらないはずだが、勇二はとても若く見えた。白いTシャツのうえに水色のシャツを羽織り、髪の毛は長めでぼさぼさだ。休日だからではなく、普段からそういう恰好《かっこう》なのだろうかがわせる雰囲気があった。

勇二はシャツの胸ポケットに入った煙草《たばこ》の箱を探った。テーブルに灰皿はない。店内は禁煙らしく、空気は健康的に澄み渡っている。無意識の行動だったのだろう。勇二はすぐに、手をテーブルに戻した。里子は勇二の骨張った長い指を眺めた。視線を感じたのか、勇二はまだ立ったままの里子を見上げ、かすかに笑いかけた。

里子はあわてて腰をかがめ、ベビーカーに太郎を座らせた。ペンギンコーナーはひとが多く、ベビーカーは邪魔になる。それでベビーカーと荷物を始に任せ、里子と太郎だけで、ペンギンが餌《えさ》を食べるところを見物することにしたのだった。

里子の体温から離れるときに、太郎は少しぐずったが、結局は目を覚ますことなくベビーカーに収まった。里子は始の隣の椅子を引いて座った。ようやく腰を下ろすことができて、思わず吐息した。

「おつかれさん」

と始は言い、店員が持ってきたメニューを里子に手渡す。「どうだった？」

「興奮しちゃって大変だった」

メニューをざっと眺めたが、疲れてなにも考えたくなかった。一番うえにあるブレンドを店員に注文した。始と勇二のコーヒーも冷めていたので追加する。三つのカップはすぐに運ばれてきた。

「ペンギンって、ちゃんと並んで餌を待つのよ。魚をもらうと、ほとんど丸飲みしてプールに戻っていくの。そのたびに太郎は大喜び」

「写真は」

「撮ったよ」

里子は携帯電話を開き、いくつかの画像を見せた。ガラス越しに隊列を作るペンギンたちをバックに、太郎が笑っている。勇二も礼儀正しく興味を示し、携帯電話の画面を覗《のぞ》きこんだ。

「村田《むらた》さんが結婚して、もう子どももいるなんて、なんだか信じられないなあ」

「どういう意味だよ、それ」

と言う始を、

「いろんな意味ですよ」

と勇二は低く笑って受け流した。「太郎くん、いくつですか」

ベビーカーで眠る太郎から里子へと、勇二の視線が向けられた。

「二歳になりました」

「かわいいですね」

そう言って勇二はコーヒーを飲んだ。削《そ》げた頰のラインと、カップを持つ大きくて器用そうな手を、里子は見ていた。勇二はカップをテーブルに置き、またかすかに唇の端を上げた。里子は太郎が眠っているかたしかめるふりで、かたわらのベビーカーに視線をそらした。

「おまえは結婚は？」

「できると思いますか、俺が」

「……こいつ、ペーパークラフト作家なんだって」

始に言われても、里子にはなんのことだか咄嗟《とっさ》にわからなかった。

「紙で立体の動物や車を作る工作があるでしょう」

と勇二は説明した。「あれの型紙を作る仕事です」

「ああ」

里子はうなずく。「イルカやクマノミの工作キットが、水族館の売店にありました」

「皇帝ペンギンもありますよ。俺が製図したんです」

「昔からそういうの得意だったっけ？」

という始の言葉に、勇二は苦笑してみせた。

「まあ、細かい作業は好きでしたね。俺の部屋に、ペーパークラフトもプラモもいっぱいあったでしょう。何度も来たのに、気づいてなかったんですか」

「あんまり覚えてないなあ」

「村田さんはホントに、体育会系一筋の野球バカって感じでしたからねえ」

「失礼な野郎だな」

それからひとしきり、始と勇二は高校時代の思い出話をした。野球部の監督がいかに恐《こわ》かったかとか、勇二はしょっちゅう始のパンを買いにいかされたとか、始は毎学期、必ず赤点があったとか、そんな他愛もない内容だ。

勇二は気をつかったのか、里子にわかりやすいよう話を補足したり、「村田さんって、いつもこんな調子なんですか」と冗談めかして話題を振ってきたりした。おかげで里子は疎外感《そがいかん》なく、その場にいることができた。

太郎が起きて、ベビーカーから降りたがったので、会話は三十分ほどで終わることになった。里子は太郎の手を引いて歩かせ、始が荷物を持って、空《から》になったベビーカーを押した。

「ここは俺が払う」

と始が言うと、勇二は特に食い下がることもなく、

「ごちそうになります」

と頭を下げた。

家路につく里子たちを、勇二はわざわざ建物の外に出て見送った。

「村田さん。よかったら、今度飲みましょう」

と勇二は言い、始と連絡先を交換した。勇二は携帯電話に、ストラップなどをなにもつけていなかった。銀色の最新機種は、オレンジがかった日の光を映してなお、冷

たく輝いていた。

「いま、大崎に住んでるんだ。そのうち遊びにこいよ」

と始は言った。さして気のない言葉だと里子は感じたが、勇二は素直に受け取ったのか、

「俺は五反田なんですよ。近いですね」

と笑い、携帯電話をジーンズの尻《しり》ポケットに突っこんだ。

勇二は売店での商品の売れ行きを偵察しがてら、魚の観察に来たのだという。

「それじゃ、また」

と、いま出てきたばかりの建物のほうへ身を翻《ひるがえ》した。「ばいばい、太郎くん」

里子の横で、太郎が条件反射のように手を振った。

品川駅のホームでも、山手線に乗ってからも、始は携帯電話をいじっていた。「明日の会議のことで、ちょっと会社のやつと連絡取らなきゃいけないんだ」と言った。

里子は太郎の服の襟首《えりくび》をつかんでいた。ペンギンと同じぐらい電車も好きな太郎は、里子が油断するとすぐに、目的もなく車内の通路を駆けまわろうとするのだった。

「今日は夕飯作りたくない」

と里子が言うと、始はメールのやりとりを終えたのか、やっと携帯電話を閉じた。

「じゃあ、あとでどっか食いにいきゃいいだろ」

話すべきことはもうなにもなかった。大崎駅からマンションまでの十分弱の道のりを、黙って歩いた。


里子はほとんどマンションから出ることなく、毎日を過ごす。

買い物はネットの通販で済ませていた。太郎は自分の意志をはっきりと出すようになっている。スーパーでは菓子が欲しいと騒ぎ、本屋のまえでは「おちゃかなのほん」とねだって動かなくなる。太郎を連れていくのだと思うと、外出する気が途端に失《う》せた。

ごくたまに、週末に始と三人で遊びにいったり、太郎を始に預けて友人と会ったりする。あまり楽しくもない。始は子どもの相手に飽きて不機嫌になるし、子どものいない友だちとは、いつのまにか話が合わなくなっていた。どこにも行かずに、部屋にいるのが一番気が楽だ。

太郎はテレビで聞き覚えた言葉をさかんに話すが、いちいち返事をしていたら神経がもたない。

里子は最近、太郎のトイレトレーニングをやめた。「ちっち」と言ったときには、すでに漏らしていたということが何度かあった。時間を見計らってトイレに連れていっても、「出ない」と言い張ることもある。振りまわされ、他人の子と比べて鬱々《うつうつ》とするのがいやになった。放っておいても、オムツなどいつかは取れるだろう。

太郎はなんとか一人で食事できるようになったし、簡単な服なら少し手伝えば着替えることもできる。その点では手がかからなくなってよかったと思うが、里子がなにかできるほどの時間が空くわけでもない。たとえ空いたとしても、したいこともなかった。いまさら働くのは馬鹿《ばか》らしいし、習いたい稽古事《けいこごと》もない。

始と二人だけの生活には、結婚して半年で飽きた。一度の流産と、そのあと太郎を妊娠しているあいだは、体の変化を受け入れるのに必死で瞬《また》く間に過ぎた。太郎を生み、子育てには二年で早くも飽きつつある。

飽きても太郎は消えない。

ゆるやかに時間ばかりが積み重なっていく。これから何十年も、太郎に振りまわされ、始と夫婦として暮らしていくのかと思うと、ときどき里子は叫びたくなる。実際に叫ぶことはしない。ではどうしたいのかと問われても、具体的な展望はないし、日がな家にいるだけで、食べはぐれることもない生活はたしかに楽でもあるから、積み重なる時間のなかでじっと黙っている。

始の両親は孫のために、おもちゃやらDVDやらをたくさん送ってくる。適当に与えておけば勝手に遊ぶので、太郎がディズニーのアニメを見ているあいだ、里子は部屋の掃除をしたり野菜を切ったりする。キッチンの窓からは、ビルの狭間《はざま》に小さく東京タワーが見える。

金曜の夜九時過ぎに、始から電話があった。

「いまから友だちを連れて帰る」

「そんな、急に困るよ。なんにもないし」

「飯はもう食ったし、べつに放っておいてくれていいから。どうせ熊谷だし。ほら、このあいだ水族館で会ったろ?」

里子は電話を切ると、急いでパジャマから部屋着に着替えた。少し考え、「ラフではあるが外出着」にもう一度着替えた。一緒に風呂《ふろ》に入り、あとは寝るだけとなっていた太郎に、

「パパがお客さまを連れてくるんだって。いい子にしててね」

と言い聞かせ、洗面所で薄く化粧した。太郎は「うん」と言い、リビングでおとなしくテレビを見た。

チャイムの音とともに玄関のドアが開いたとき、里子は酒のつまみになるものを三

皿こしらえていた。太郎はリビングから廊下に出て、「パパ！」と始の腿《もも》のあたりに抱きついた。始は「ただいま」と言って、太郎を抱きあげた。いつもはせいぜい、頭をなでるくらいなのにと、キッチンから顔を覗かせた里子は思った。始のうしろで、勇二が靴を脱いで廊下に上がったところだった。

「夜分にすみません」

と勇二は言った。やはり学生のような恰好をしている。

「いいえ、ご遠慮なく」

と里子は言った。

リビングに入ると勇二は、

「うわあ、すごい景色ですね」

と窓辺に寄った。

里子たちの住む部屋は、二十七階建てのマンションの二十五階にあり、動脈のように走る道路と、十階程度のビル群とを見渡せた。昼間はごみごみした灰色の風景だが、夜になると無秩序な町並みはすべて黒く塗りつぶされ、灯《とも》った明かりだけが眼下に散らばる。

太郎はおずおずと勇二に近づき、興味深そうにその顔を見上げた。

「太郎くんは毎日、空に住んでるんだね。いいなあ」

勇二は微笑《ほほえ》んで、太郎の頭にぽんと手を載せた。

里子はテレビのまえのガラスのローテーブルに、つまみの皿や氷を並べた。寝室で着替えてきた始が、キッチンで酒のボトルを物色した。

「焼酎《しょうちゅう》と日本酒、どっちがいい。うちはあんまり洋酒がないんだけど」

始が声をかけると、勇二は振り返ってローテーブルを見た。

「焼酎がいいです。ロックで」

窓辺から離れ、黒革のソファセットに腰を沈める。始はグラスに氷と焼酎を入れ、勇二に渡した。

「夜景なんてめずらしくもないだろ」

「自宅でこんな景色を見られるなんて、すごいですよ」

勇二はグラスにちょっと口をつけた。呷《あお》るような始の飲みかたとはまるでちがう。あまり酒が得意ではないのかもしれない、と里子は思った。里子と太郎もソファの端に座り、音量を小さくしてディズニーのアニメを見ていた。

「いいマンションですね」

と勇二は言った。羨《うらや》んでいるわけでも、卑屈になっているわけでもない、事実を淡々と述べる調子だった。

「ローンで大変だよ」

と、まんざらでもなさそうに始は笑った。「おまえだって、自分の腕一本でやっていけてるじゃないか」

里子は急に、始に対して苛立《いらだ》ちを覚えた。マンションを購入する資金の大半は始の父親が出したものだし、ローンを返済するための給料も、親のコネで入った会社にもらっているものじゃないか。そう思ってから、そんなことを思った自分に驚いた。

「グーフィー」

と、太郎が画面を指した。そうね、と里子は相槌《あいづち》を打った。

「たとえばほら」

と始は言った。「ああいうキャラクターだって、紙で作れちゃうんだろ」

「作ろうと思えば作れますけど、ディズニーは版権がうるさいから」

勇二は穏やかな表情のままだ。「ペーパークラフトだけじゃなかなか食っていけなくて、バイトもしてるんですよ。俺はフリーターみたいなもんです」

「どんなバイトをしてるんですか」

と里子は口を挟んだ。勇二の真っ黒い目が里子を映す。

「肉体労働とか、いろいろですよ」

手に持っていたグラスを、音を立てずにテーブルに下ろした。「煙草吸ってもいいですか」

「ああ、悪い。換気扇の下にしてくれるか」

始が言うと、勇二はソファから立った。

「村田さん、煙草やめたんですね」

「ガキが生まれてからな」

始はグラスに二杯目を作っている。里子が対面式のキッチンまで勇二を案内した。換気扇のスイッチをつけ、食器棚の奥にしまいこんだ灰皿を探す。勇二は胸ポケットから煙草の箱を取りだした。

左利《ひだりき》きなんだ、とそのとき里子は気づいた。ようやく見つけた灰皿を「どうぞ」とシンクに置くと、勇二はくわえ煙草で「どうも」と言った。キッチンの窓が細く開いていて、煙が分散する。里子は勇二の背後を通り、キッチンの窓を閉めた。

「ああ」

と勇二の声がすぐ近くでし、煙草を持った手が窓に突かれた。囲いこむようにされて、里子はびっくりして振り仰いだ。

「東京タワーが見えるんだ」

勇二は窓の外から里子に視線を移し、ゆっくりと体を離して再び煙草を吸った。長い指が煙草を挟んでいた。

里子は急いでリビングに戻った。始はアニメを見ながら、「おもしろいか、これ」と太郎に尋ね、太郎は「うん」とうなずいた。

「そうだ、週明けにまた出張だから。一泊で広島」

と始が言った。

「そう」

と里子は上《うわ》の空で答えた。煙草を吸い終え、勇二がソファに座った。

「出張、多いんですか」

「このごろ、けっこうな」

「大変ですね」

そう言った勇二の顔を、里子はなぜだか見られなかった。

日付が変わるころ、勇二は帰っていった。

「また来いよ」

と言う始の声には、品川で別れたときよりも真実味がこもっていた。突然現れた後輩の、従順な態度に気を許し、適切な距離感をつかんだ余裕のようなものがあった。

玄関のドアが閉まる寸前に、里子は思いきって顔を上げたが、勇二はもう背中を向けていた。里子は腹立たしく感じた。急に不可解な行動をとった勇二を、些細《ささい》な動作に過敏に反応した自分を、なにも気づいていないらしい姑を。

姑が太郎を寝かしつけているあいだに、ローテーブルのうえを片づけた。グラスと皿を洗い、シンクに残されていた灰皿を最後に手に取った。吸い殻を三角コーナーに振り落とし、軽くすすぐと、波立っていた心がようやく収まった。

風呂を使った姑がベッドにもぐりこんでくるころには、憤《いきどお》りも喜びもないふだんの自分に戻っていた。


勇二はその後も、姑に連れられてちょくちょく遊びにきた。姑はあいかわらず、月に二度は泊まりがけで広島に出張した。

「俺は出張ってないから、なんだか新鮮ですね」

と勇二は言った。

「年度が変われば、頻繁に行かなくてすむようになるって話だったんですけど」

と里子は言った。勇二とは一定の距離が保たれたままだったので、最初に勇二が部屋を訪れたときのことは、自分の勘違いだったのだろうと思うようになっていた。

「引き継ぎがうまくいってないんだよ」

と始は言った。「取引先のやつが無能でさ」

勇二はたまに、ペーパークラフトの型紙を持ってきた。太郎のためにパソコンで製図し、厚紙にプリントアウトした電車のペーパークラフトだった。

太郎は喜んで、床に広げた型紙にクレヨンで色を塗る。「やまてせん」、「まるのうちせん」などと言っては、何枚もの型紙を緑や赤で塗りわけていく。もちろん、枠内に綺麗《きれい》に塗ることなど、まだできない。それでも勇二は、太郎と並んで床に座りこみ、「よく知ってるなあ」と楽しげに作業を見守った。

「わざわざすみません」

と里子が謝ると、

「いきなり図面を引けるぐらい、単純な形ですから。そんなに手間じゃありませんよ」

と勇二は言った。

太郎が塗り終えた型紙を、勇二は切り抜いて糊《のり》づけしていく。単純な形と言うが、出来上がった電車はそれぞれ、前面がなめらかなカーブを描いていたり角張っていたりと、車両の特徴をちゃんと捉《とら》えているのだった。

その夜、太郎はオムツをつけていなかった。暖かくなってきたから、億劫《おっくう》だったが里子は太郎のトイレトレーニングを再開していた。近いうちに、姑の母親がマンションに遊びにくることになっていた。

姑の母親は顔を合わせるたびに、「太郎ちゃんは少し言葉が遅いんじゃないかしら」とか、「まだオムツが取れていないの？」などと言う。「よそのおうちでも、男の子はこのぐらいですよ」「最近では無理してオムツを取らないみたいで」と、なるべく笑って聞き流すようにしていたが、心配から言っているのだとわかっていても、やはり気が重かった。

型紙に色を塗りながら太郎がもじもじするので、「トイレじゃないの」と里子は何度も声をかけた。遊びに夢中の太郎はそのたびに、「ううん」と首を振った。勇二はナッツを食べながら、ソファに座った姑と話していた。姑は太郎のオムツについてなど関心がない。開幕したばかりのプロ野球の試合結果を、熱心に勇二と論じあっていた。

突然、太郎が立ちあがり、

「ちっち」

と宣言した。フローリングの床に水たまりができていた。

キッチンで冷凍庫から氷を出していた里子は、リビングにすっ飛んでいった。

「だから、ママ言ったじゃないの」

と思わずとがめるような声が出た。姑は、

「きたねえなあ」

とあからさまに顔をしかめた。

勇二は目を丸くして、ズボンを濡《ぬ》らしてかたわらに立つ太郎を見ていたが、

「ガキっておもしれえ」

と笑いだした。太郎も照れたように笑っていたが、里子に「脱ぎなさい、ほら」と乱暴に急《せ》かされ、客である勇二にまで笑われて、そのうち哀《かな》しくなったらしい。恥ずかしそうにぐすぐすと泣きはじめた。

「ああ、ごめんごめん」

勇二は慌《あわ》てて腰を浮かし、太郎の頰を掌《てのひら》でこすった。「笑ってごめんな。こんなの、シャワーで流しちゃえば、なんてことないから」

その言葉で姑がしぶしぶソファから立ち、「ほら、来い」と太郎をバスルームへ連れていった。里子は雑巾《ぞうきん》を取ってきて床を拭《ふ》いた。

「ごめんなさい、濡れませんでしたか」

「いいえ」

と勇二は言い、床に片手をついて里子のほうへ上体を近づけた。里子は動きを止めた。勇二は危うく難を逃れた塗りかけの型紙を指先でつまみ、ローテーブルのうえに載せた。勇二の体が離れていき、里子は息を吐いてまた床を拭いた。

バスルームから、ズボンの裾《すそ》をまくりあげた姑と、もう上機嫌で鼻歌を歌う太郎が戻ってきた。

里子は新しいパンツとパジャマのズボンを太郎に穿《は》かせた。

「できたよ」

と、勇二がペーパークラフトの電車を太郎に差しだした。里子が「ありがとうは」とうながすと、太郎は「ありがとう」と嬉しそうに電車を受け取った。

「どういたしまして」

と勇二は言った。その目は太郎ではなく、里子を見ていた。勇二の唇が一瞬だけひそやかな笑みを浮かべたのを、里子も見ていた。

次の日の午後、勇二から電話があった。渡したいものがあるから、これから寄ってもいいかと勇二は言った。

家の電話に勇二がかけてくるのも、始がいないときにマンションに来たいと言うのも、はじめてだ。だが里子はなんとなく予感があったので、驚きはしなかった。少し考えたすえに、マンションのまえの公園を指定した。ちょうど太郎を遊ばせるつもりだったのだと嘘《うそ》をついた。

プラスチックの小さなバケツとシャベルを持って、「公園に行くよ」と太郎に言った。滅多にないことだから、太郎は喜んでついてきた。

平日の公園では、何組かの母親と子どもがブランコや砂場で遊んでいた。里子には顔見知りの母親仲間もいない。当たり障《さわ》りのない挨拶《あいさつ》を交わしたあとは、隅のベンチに一人で座った。太郎ははじめこそ、どうしていいのか戸惑っているようだったが、すぐに誘惑に負けて砂場へ突進していった。

昼下がりの光が柔らかく差している。

駅のほうから、ゆるやかな坂を上って勇二が歩いてくるのが見えた。羽織ったシャツの裾が、風に煽《あお》られてはためいている。手ぶらで午後の道を飄然《ひょうぜん》と歩く姿は、自由でしなやかな獣のようだった。

あらかじめ里子がそこにいると確信していたみたいに、勇二は公園の入口からまっすぐベンチのほうへ近づいてきた。

「こんにちは」

と勇二は言い、里子の隣に座った。胸ポケットから煙草を出し、断りもなく吸いはじめる。

「太郎くんは、砂遊びが好きなんですか」

「活発に走りまわったりするのは、得意じゃないみたいです」

「村田さんは運動全般が得意だったですね。野球部では、だれも彼に逆らえなかった。王様みたいに振る舞ってましたよ」

「そうですか」

会話が途切れた。勇二は左手の人差し指と中指で挟み持った煙草を、親指でトンと揺らした。里子は、白い灰が地面に落ちるのを眺めていた。

「あんたさ」

と勇二は急にぞんざいに言った。「旦那《だんな》の携帯を盗み見たことある？」

里子は勇二に顔を向けた。気だるげにベンチの背に右腕をかけ、勇二も里子を見ていた。

「あるわよ」

と里子は答え、顔を正面に戻した。頰に探るような勇二の視線を感じた。太郎は砂場で山を作っていた。

「それならいいんですよ」

勇二は元通りの丁寧な口調で言った。笑いを含んだ声だった。

「渡したいものってなんですか」

と里子が聞くと、勇二は身をかがめて地面で煙草をねじ消し、吸い殻を背後の茂みにぽいと投げ捨てた。

「太郎くん」

と勇二は砂場に声をかけ、振り返った太郎を手招く。駆け寄ってきた太郎の手に、勇二は胸ポケットから出したペーパークラフトを載せた。

「ペンギン！」

と太郎は歓声を上げた。

「新作のイワトビペンギン」

と勇二は言った。「そっと持ちな、壊れちゃうから」

里子の指ほどの全長しかないペンギンは、触れてみないと紙とは信じられないほど精巧で、なだらかなカーブを描く胸をそらしている。ピンと生えた黄色く長い眉毛《まゆげ》も、後頭部でユーモラスに跳ねた癖毛も、すべて紙で正確に表現してあった。

ペンギンに見入る太郎の頭をぐりぐり撫《な》で、勇二はさっさと公園を出ていった。

「よかったわね」

と里子は太郎に言った。

ペンギンのペーパークラフトは、キッチンのカウンターに飾った。始は気づいているのかいないのか、ペンギンについてはなにも聞いてこなかった。

太郎が「ペンギン」と言うたびに、里子はカウンターから小さなペーパークラフトを取ってやった。中身が空洞の紙製ペンギンはとても軽い。

壊れちゃうから。壊れちゃうから。

里子はなんとなく、その言葉を内心で繰り返した。指先で簡単に押しつぶせてしまう。それを恐れているのか、楽しみ味わいたいと願っているのか、自分でもよくわからなかった。

始の母親は案の定、

「最近の育児は、ずいぶんのんびりしてるのね」

と言った。「大丈夫なの？」

太郎はトイレに関して少しずつ学習していたが、遊びやテレビに集中すると、どうしてても失敗してしまうこともある。

太郎のプライドを傷つけたと知って、勇二はすぐに謝った。悪いことをしたと思ったのか、翌日にペンギンのペーパークラフトを持ってきた。

その態度を思い出しては、里子は太郎をあまり責めないように深呼吸を繰り返す。

「今日はバァバが来るよ。どうする？」

と聞くと、太郎は「オムツする」と答えた。子どもながらも、祖母のまえで漏らしたくない気持ちがあるのだろうと思い、里子は太郎にオムツをつけさせたのだった。

だから姑の母親の言葉に対して、笑顔を作ることができなかった。笑おうとして、頬の皮膚がひきつっただけに終わった。

マンションの部屋に沈黙が落ち、姑が場をとりなそうとしたのか、

「このへんには母親仲間がいなくてさ。こいつマイペースだから、楽なオムツのほうにしちゃうんだよ」

と軽い調子で言った。「こいつ」と言ったときに、姑が太郎ではなく里子を視線で示したので、「私のことか」と里子は少し衝撃を受けた。

「里子さんはよくやってくれてますよ」

と姑の母親が、息子をたしなめるように言った。

都合のいいときに太郎をちょっとかわいがるだけの姑の発言にも、姑の母親に気づかわれたことにも、里子はいらいらした。

オムツのこと以外では、すべてうまくいった。

姑の母親は余計な口を出さず、客に徹した。里子の作ったご飯を「おいしいわねえ」と言って食べ、「手伝いましょうか」とキッチンに来て、邪魔にならぬ程度に食器の後片づけをし、太郎の遊び相手を喜んで買って出た。ゲストルームに一晩泊まり、マンションの周辺を案内して、日曜の夕方に姑の母親は帰っていった。

「今度はお父さんも来たいと言ってるのよ」

と、姑の母親は姑に言った。

「写真ができたら送ります」

と里子は言った。

駅で見送りをすませ、三人でマンションに戻った。姑は「はー、やれやれ」と言った。

「おまえさ、あのタイミングで『写真を送る』とか言うなよ。『来るな』って言ってるみたいじゃないか」

「そういうつもりじゃなかったんだけど」

と里子は言った。本当にそういうつもりはなかったのだが、言われてみれば、そうだったかもしれないと思った。

太郎は祖母と遊んではしゃぎ疲れたのか、子供用布団《ふとん》のなかで寝息を立てている。始が風呂に入っているあいだに、里子は出張鞄《かばん》に一泊ぶんの荷造りをした。湯上がりの始に、「はい」と小ぶりの鞄を渡すと、始は「うん」と受け取り、そのまま寝室の隅に鞄を置いた。

「お袋が、二人目はどうすんのかってさ」

体に腕をまわされ、里子は「そうねえ」と曖昧《あいまい》につぶやいた。まだ濡れた始の髪から漂うシャンプーの香りを嗅《か》いで、「そんな気になれない」と言いたがる口をなんとかつぐんだ。

「広島ってなにがあるの」

と里子が聞くと、始はゆるやかだった動きを完全に止めた。薄闇《うすやみ》のなかで里子の顔を覗きこんでくる始の、白目の部分が青白く光っていた。

「広島市民球場とか、原爆ドームとか」

「ほかには？」

「宮島」

「それだけ？」

「よく知らないよ、仕事で行ってんだぞ。どうしたの急に」

「今度、私も行ってみようかと思って。太郎と一緒に」

「いいね」

と始は言った。始の動きに合わせ、里子は小さな声を息に紛らせることに腐心した。わざとらしくないかしらと考え、ばかみたいだとおかしくなった。口先だけでかすかな声を出してみせながら、里子は笑った。

終わると「シャワー浴びてくるね」と始の唇に軽くキスし、風呂場に行って精液をさっさと掻《か》きだし洗い落とした。排水口へ向かう湯の流れを見ていると、ひどくすっきりした気分になった。

翌日の夕方にチャイムが鳴った。宅配便だろうと思ってインターフォンの画面を見ると、勇二が立っている。

「上がって」

と里子は言い、マンションのエントランスと玄関のドアのキーを両方解除した。

「パパ？　パパ？」

とDVDを見ていた太郎が無邪気に尋ねた。

「そうよ」

と里子は言った。

ドアの開く音がし、太郎は玄関に走っていった。そこにいるのが父親ではないことにびっくりしたのか、すぐに駆け戻ってきて、廊下に出た里子のうしろに隠れた。

「どうしたの、熊谷さんよ。ペンギンをくれたじゃない」

勇二はグレーのスーツを着て、ちゃんと整髪していた。自分の家であるかのように堂々と靴を脱ぎ、

「はい、これ。広島みやげ」

とぶらさげていた紙袋を里子に渡す。袋には「もみじまんじゅう」と書いてあった。

「ここのところ何度も広島に行ったもんだから、すっかり詳しくなっちゃいましたよ」

勇二はリビングのソファに座った。ネクタイをはずし、スーツのポケットに入れる。一番大きな窓から西日が射《さ》し、リビングはオレンジ色に染まっていた。

「こういう高層マンションって、窓が開かないんですね」

そう言って勇二は、シャツの胸ポケットから出した煙草の箱をローテーブルに置いた。

「なにか飲みますか」

「水ください」

里子はミネラルウォーターをガラスのコップにつぎ、灰皿とともにローテーブルまで運んだ。太郎は里子と一緒に室内を移動した。「つづきを見てなさい」と言うと、太郎はちらちらと勇二を気にしつつも、ソファの隅に座っておとなしく膝《ひざ》を抱えた。

「においが残るかな」

と言いながら、勇二は煙草に火をつけた。「まあ座ってください」

少し距離を開け、里子は勇二の隣に腰を下ろした。勇二はスーツの内ポケットから、何枚かの写真を出した。ローテーブルに並べられたそれには、姑と女が写っていた。

「なんでもポケットから出てくるんですね」

と里子は言った。「鞄は持たないんですか」

「邪魔ですから」

と勇二は煙を吐いた。「ポケットも、左利きに優しくないんですが。ほら、この内ポケットとかもね」

勇二は上着を脱ぎ、左身ごろにあるポケットを示してから、ソファの背に乱雑にかけた。

「村田さんが、この女と広島でどんなことしてるか、教えてあげましょうか」

「聞かなくてもだいたいわかるから、けっこうです」

「あれ、『子どものまえでやめてください』とか言わないんだ」

勇二は笑い、煙草を消した。「たぶん、あんたにもさせたことないようなえげつないこと、いろいろしてると思うけどな」

「あなたいったいなんなの？」

里子は写真から視線を引きはがし、体ごと勇二に向き直った。

「フリーターですよ。言ったでしょう、ペーパークラフトだけじゃ食っていけないって」

聞き慣れた単語に、太郎が反応して振り返った。「ディズニーを見てなよ」と勇二はぴらぴらと太郎に手を振ってみせ、

「いまは村田さんの素行調査をしています」

と言った。

「野球部の後輩だと……」

「もちろん、それは本当。村田さんの言ったとおり、すごい偶然があるもんですよ」

そうだったのか、と里子は思った。

はじめからおかしいと感じてはいた。コーヒーを飲んでいたら声をかけられた、と始は言ったが、あの店は外から店内を見通せる作りにはなっていない。勇二は煙草を吸うのに、なぜわざわざ禁煙のカフェに入ったのだろうと、ずっと引っかかりを覚えていた。始と接触する機会をうかがっていたのだと考えれば、疑問は解ける。

「だれが、夫の行動を知りたがっているんですか」

「それは言っちゃいけないことになってるんだけど。あんたは特別だから教えてあげましょう」

勇二は二本目の煙草を吸いはじめた。「村田さんは、さして必要でもないのに頻繁に広島に出張する。しかも日帰りも可能なところを、一泊する。全部、会社の経費だ。同じ部署の社員たちは不満を募らせている。いくら有力なコネがあっても、無能で無駄遣いばかりする社員に対して、昨今の会社は甘くない。あんたの旦那は終わりですよ。さすがにクビは切られないにしても、しばらくは閑職に追いやられ、今後の出世も望めないでしょうね」

「どうして私は特別なの」

「気にするべきところは、そこなのかなあ」

勇二は笑った。「俺があんたを好きだから、会いにくるんだと思ってた？」

勇二の目にはなぶるような、意地の悪い光があった。里子ははじめて、里子のほうから勇二との距離を詰めた。黒革のソファが、踏まれた小動物の鳴き声のような音を立てる。里子は傷つけられまいとして、あえて静かに言った。

「あなたは夫のことを好きなんだと思ってた」

里子と勇二は数瞬、視線で互いを探りあった。目をそらしたのは勇二のほうが先だった。

「大嫌いですよ」

と勇二は吐き捨てた。「この仕事が舞いこんできたとき、いい気味だと思った」

「復讐《ふくしゅう》しようと思った？」

「気持ちにケリがつかなきゃ、復讐にはならないでしょう。なにをしたって、記憶は消えない」

里子は勇二の手から煙草をつまみ取り、灰皿に載せた。

「ペンギン！」

と太郎が言った。里子は立って灰皿をキッチンに下げ、ついでにカウンターからペンギンのペーパークラフトを持ってきて、太郎に渡した。

「壊れちゃうから、そっとね。テレビを見てて」

「このごろ、元気がないみたい」

と里子が言うと、姑はしばしのためらいを見せたのちに、

「会社でちょっと困ったことになってるんだ」

と、ため息をついた。

「どうしたの」と問うことはせず、「あらそう」と里子は言った。

リビングには、電車のペーパークラフトが散らかったままだ。そろそろ太郎に「お片づけ」を覚えさせなければいけない。

「熊谷さん、最近来ないのね」

「ああ、うん」

姑はなにも気づいていないようだった。「あいつも忙しいんじゃないか」

最初から蚊帳《かや》の外だ、と里子は思った。だれが？　姑か、勇二か、それとも私がか。もしかしたら全員かもしれない。立派に塗装された箱の周囲を、なかに入りたがってぐるぐるまわっているだけなのかもしれない。

箱は紙でできていて、中身は空洞なのに、眺めるばかりでいるからそのことに気づけない。

勇二は寝室についてきた。ドアの鍵《かぎ》を閉めたとき、里子は勇二と顔を見合わせて静かに笑った。リビングからはアニメの劇中歌に合わせて、太郎が一人で楽しげに歌う声が聞こえた。

「どんなことをされたの?」

と里子が聞くと、

「そりゃまあ、えげつないことをいろいろと」

と勇二は言った。

「同じようにしてもいいわよ」

と言ったのに、勇二は優しく里子を抱いた。こういうものなんだろうか、と里子は思った。男なんてこういうものか、と。腹立たしくもあったし、安堵《あんど》し満たされる気もした。

外面《そとづら》ばっかりよくて、いやなひと。昔っからそうですよ。上級生にはかわいがられて、後輩には嫌われるタイプ。要領だけで世の中を渡ってるから、いざってときに気が弱い。ねえ、どんなことされたのか教えてよ。いまそういうこと思い出すと萎《な》えるから言わない。

始を話題に、二人でしつこくしつこく盛りあがった。ばかみたい、と汗に濡れた額を寄せてくすくす笑った。

リビングを覗くと、太郎はソファで眠ってしまっていた。ふだんからかまいつけてなくてよかった、と里子は思った。ローテーブルに出しっぱなしだった煙草をつかみ、テレビを消し、キッチンから灰皿とミネラルウォーターのボトルを持って、また寝室に戻った。

勇二はベッドに身をのばして目を閉じていたが、眠っていたわけではないようだった。里子が煙草の吸い口で軽く唇をつつくと、そこはすぐに薄く開いた。勇二は煙草をくわえて起きあがり、ライターで自分で火をつけた。

ボトルに半分ほど残っていたミネラルウォーターを交互に飲んだ。

「それで、あんたはどうすんの。いいかげんな旦那に、早く見切りをつけたほうがいいんじゃないですか」

と勇二は聞いた。

「どうもしない」

と里子が言うと、勇二はボトルを床に放り投げた。

「俺はねえ、あんたみたいな女が一番きらい」

そのときの嚙《か》みつくようなキスが、勇二が取った唯一《ゆいいつ》の乱暴と言えるかもしれない行動だった。

　床に水が広がっているのを、里子は見た。ベッドからずり落ちそうになった里子を、勇二はつながったままやんわりと引き戻した。

「ずいぶんいっぱいになったなあ」

　始が里子の隣に膝をつき、めずらしく片づけを手伝いはじめた。紙の電車を手に取って、ひとつひとつ眺める。

　振り落とされないように、踏みにじられないように、だれもが必死だ。崖《がけ》っぷちに立たされた始は、弱気になって里子に救いを求めているが、どうせそのうちもとに戻る。だれかを痛めつけたことなどなかったかのような顔をして、女と遊び、会社に居座りつづける。

　それでもいいと里子は思った。

　どうすると言ったって、ほかにどうにもしようがないじゃないか。クレヨンでべたつく電車を集めながら、里子は肩を震わせひっそり笑う。

「明日は、電車の車庫を作ろうか。段ボールがあっただろう」

「太郎は喜ぶと思うけど、作れるの？」

「熊谷ほどってわけにはいかなくても、それぐらいは俺にも作れる」

里子はそっと始の肩に手を載せ、「ビールでも飲む？」と立ちあがった。

冷凍の枝豆を湯がくあいだ、キッチンの窓からぼんやりと東京タワーを眺めた。この換気扇の下に、勇二が立つことはもう二度とない。じかに肌に触れもしたのに、里子が思い起こすのは、この窓に突いた煙草を挟んだ勇二の手と、服越しに背中に感じたほのかな体温だった。

もっと話したいことや、してあげたいことがあったような気もする。

枝豆を盛った器と、缶ビールとグラスをふたつ盆に載せ、里子はカウンターをまわった。小さなペンギンが目にとまり、それも盆に載せる。

プロ野球ニュースを見ていた始は、ペンギンに気がついた。

「あれ、こんなのあったっけ」

「ずっとあったわよ。新作だって熊谷さんが持ってきてくれたの」

始は「いつ？」とは聞かなかった。ただ、「へえ」と言ってペンギンを手に載せた。

「はは、ちゃんと立つ。あいつホントに器用だなあ」

「思い出した？」

と里子は聞いた。

「なにを」

「熊谷さんの部屋の様子。彼、言ってたじゃない。ペーパークラフトやプラモデルがいっぱいあった、って」

始はしばらく黙っていた。里子はビールをグラスにつぎわけた。

「覚えてないな」

やがて始は言い、ペンギンをローテーブルにそっと立たせた。「なにがあるかなんて、よく見てなかった」

「遊びに夢中で？」

始は一瞬言葉に詰まり、「そうそう」とすぐに明るく笑った。

ばかみたい。里子は心のなかでつぶやいた。だけど、許してあげたいと思う。私は、私を許すように、このひとのことも許そう。勇二もそうであったらいいと、里子は願った。

「私、妊娠したかもしれない」

と里子が言うと、始は「ほんとか」と里子の手からグラスをもぎ取った。

「じゃあ、ビールなんて飲んでちゃだめじゃないか」

「まだはっきりとはわからないよ。週明けに病院に行ってくる」

「そうか」

始は嬉しそうだった。「そうだとしたら、これから俺ももっと頑張らなきゃな」

勇二の言ったとおりだ、と里子は思った。復讐なんて、だれにもできない。これはたぶん、意趣返しでもない。すべてを飲みこんで生きていく。できるのはそれだけで、それだけできれば充分だと思った。

マンションの部屋から見える景色は、その夜もまばゆくきらめいていた。

森を歩く

「うはね、まだ怒ってるのか」

汗をだらだら流しながら、捨松《すてまつ》が聞いた。

「怒ってる」

と私は答える。

「なあ、とりあえずもう出よう。俺は足がしびれたし、なんだかくらくらする」

「捨松が、私のおなかがぷよぷよしてるって言ったんでしょ！」

「だからそれは言葉の綾《あや》だって……」

真夏の土曜日の昼下がり。私たちは浴槽のなかに向きあって座っていた。コンクリート製の古いアパートは静まりかえり、私たちのほかに住民などいないかのようだ。蟬《せみ》の声が、浴室のモザイク模様の細かいタイルに反響する。

「ビールが飲みたい」

立ちあがろうとした捨松を、私はあわてて留める。

「だめ！　嵩《かさ》が減っちゃうでしょ」

「こんな真っ昼間っから、もう一時間も湯につかってんだぞ。水分補給しないと体に悪い」

「お風呂《ふろ》の水もケチらなきゃいけないのは、だれのせいなの？　生活費も入れずに二週間もふらふらして、やっと帰ってきた夜に『腹がぷよぷよしてる』なんて恋人に言ったのはだれ？」

「恋人じゃなくて妻だろ」

私はふんと鼻を鳴らす。捨松はしぶしぶと、また浴槽に身を沈めた。

「だけどさ、さっきから俺ばっかり汗をかいてるぞ。うはねは代謝が悪いんじゃないかな」

「だから太るって言いたいの？」

そういう意味じゃないけど、と捨松は窮屈そうに脚を動かす。下腹部に触れた捨松の足先を丁重に脇《わき》にどけ、私は暑いさかりに首もとまで湯につかる苦行を続ける。

そのとき、玄関のドアがきしみながら開く音がした。

「やだ、だれか来たんじゃない？　捨松、玄関の鍵《かぎ》しめた？」

「うんにゃ」

捨松は、浴槽の縁にぐったりと後頭部を預けたまま首を振る。

「どうしてしめとかないのよ！」

そうこうするうちにも、訪問者の足音は勝手に室内に上がりこみ、台所と居間を覗《のぞ》いたあと、この浴室に近づいてきた。

「ちょっと捨松！　泥棒かも……」

すっかりのぼせてしまったらしい捨松の肩をつかみ、激しく揺する。それでも捨松は反応も鈍く、「あー」とか「うー」とか呻《うめ》くだけだ。

浴室のドアが勢いよく引き開けられた。

「やあ、ステマツ！　なかなか素敵なところに住んでるね。階段の手すりがアール・デコ調じゃないか！」

流暢《りゅうちょう》な日本語をしゃべる金髪碧眼《へきがん》の男が立っていた。私は悲鳴を上げることもできず、捨松は億劫《おっくう》そうに首を動かし、不法侵入者を見つめる。

「……あれ？　お邪魔したかな」

スーツ姿の金髪碧眼男は、一緒に風呂に入っている私たちを見て、白い歯を輝かせてにやりと笑った。

「リチャード！」

捨松が急に立ちあがり、私は水位の低くなった浴槽のなかであわてて体を丸めた。

「いつ日本に？」

捨松は真っ裸のまま、そのリチャードとやらに歩み寄り、親しげに肩を叩《たた》く。

「今朝さ。元気そうでなにより。仕事を持ってきたぞ、ステマツ」

「例のやつか？」

「ああ、どうやらほかにも目をつけてるひとがいるらしくてね。先を越されないよう、きみにやってもらいたい」

私はなにがなんだかわからなかったが、浴槽から叫んだ。

「いいから二人ともあっちに行ってよ！」

なんとなくぐずぐずと服を着て居間に行くと、もうリチャードの姿はなかった。ジーンズだけを着けた捨松が、窓によりかかるように座りこんで缶ビールを飲んでいた。

「あのひとだれ？　もう帰っちゃったの？」

「友だち。忙しいんだよ、あいつ」

捨松は飲み終わったアルミ缶を握りつぶし、「それよりうはね。俺、これからちょっと出かけてくるわ。遅くても明日中には帰れると思うから」

と言った。私は頭に血が上った。

「どこ行くの？　昨日帰ってきたばっかりじゃない。明日はアパートの庭の草むしり当番なんだよ？」

「まあまあ、俺たち夫婦だろ。協力しあおうじゃないか」

「あんたがいつ私に協力してくれたのよ」

私ばっかりあくせく働いて、のんきな捨松に振りまわされてばかりだ。腹立ちに押されて、私は箪笥《たんす》から一枚の紙きれを取りだした。

「それに、ほら。婚姻届はまだここにあるもんね。私たち、実は夫婦じゃないのよ。驚いたか！」

黄門様の印籠《いんろう》よろしく、私は広げた紙を捨松に向かって突きつけた。捨松は、

「うーん、そうだったのか。気づかなかった」

と、まじまじと紙面を眺め、しかしすぐに晴れやかに笑った。

「でもうはね。ちゃんと記入してくれてたんだな。嬉《うれ》しいよ」

だめだ……。このひと、やっぱりどこかずれてる。脱力した私を後目《しりめ》に、捨松はTシャツをかぶり、いつも使っているボロボロのリュックを背負うと、「じゃ、行ってくる」と悠々と出ていってしまった。

「ばか捨松！　もう帰ってくるなー！」

このアパートはいちおう捨松の名義で借りているものだが、私はそう叫ばずにはい

られなかった。

捨松と出会ったのは、「高校生の理科離れを考える会」のパーティー会場だった。政治家や役人や大学の教授が、会合のあとに懇親会と称して都内のホテルで開いたものだ。私の勤める理系専門書の出版社の社員たちも、招待されたり、つきあいのある教授への義理で手伝いにかりだされたりした。

私は受付をしていたのだが、ある大学の植物学の教授のお供としてやってきた捨松は、非常に目立った。お偉方ばかりのなかで、彼が比較的若かったこともある。しかしそれ以上に、捨松は場違いに小汚かったのだ。冬だというのに、着古したジーンズと赤い半袖《はんそで》Tシャツ姿で、コートも着ていない。Tシャツの胸には白い字で「Rio de Janeiro」とプリントされていた。

立食パーティーがはじまり、お役御免になった私は、中央にある料理の載ったテーブルと壁とのあいだを往復した。部屋のあちこちで広がる談笑の輪をぼんやりと眺めながら、サラダを食べる。ふと気づくと、隣で捨松がものすごい勢いで料理をかきこんでいた。わざわざ小さなテーブルをそばに引き寄せ、そこにあらかじめ取っておいたらしい料理が満載された皿を並べて、端から食べつくしている。

餓えた獣みたいな食べっぷりに恐れをなした私は、さりげなく捨松から離れた。ところが捨松は、最後の一皿を持ってこっちにじりじりと寄ってくる。露骨に避けるわけにもいかず、目の端に捨松の動きを捉《とら》えながら壁際《かべぎわ》で固まっていると、とうとう彼は声をかけてきた。

「野菜が好きですか」

「は？」

思わず捨松のほうを向いたら、彼は真剣な表情で私を見ていた。捨松の顔は私よりずいぶん上にあり、冬だというのに日焼けしていた。フォークを持つ手も、そこからつながる腕もごつい。あの教授の研究室の院生で、肉体労働のアルバイトでもしているのだろう、と私は見当をつけた。

捨松は言った。

「さっきから、料理のつけあわせのパセリもクレソンも、コリアンダーまで食べている。よけるひとが多いのに」

「そう……ですね。菜っぱは好きです。全般的に」

と、私は面くらいつつも答えた。捨松は料理を綺麗《きれい》にたいらげると、通りすがりのボーイに空《から》の皿を渡した。

私たちは所在なく、並んで突っ立っていた。沈黙に負けたのは私だった。

「よく焼けてらっしゃいますね。なにかスポーツでも？」

「アマゾンに四年いました」

冗談かと思ったのだが、相変わらず捨松は真面目《まじめ》な顔をして私を見ている。これはいよいよ、植物の研究者だろうと思い、私は鞄《かばん》から名刺を取りだして挨拶《あいさつ》した。

「森田《もりた》うはねです。神田《かんだ》先生にはいつもお世話になっております」

捨松は私の名刺にじっと目を落とし、

「うはね、さん」

とつぶやいた。「なんて素晴らしい名前なんだ！　ご両親はハワイのかたですか。いや、ハワイのかたでしょう」

「は？」

私はまたもや呆気《あっけ》に取られた。「いえ、違いますけど」

「ちがう？」

捨松は悲しそうな顔になった。「おかしいな。ウハネっていうのは、ハワイの先住民の言葉で魂とか霊魂という意味ですよ。そこから取った名前じゃないんですか」

そんなことは初めて知った。

「いえ……。私、福岡県の浮羽郡《うきは》で生まれたんです。『浮く羽《はね》』と書くので、そこから『うはね』と」

「そんな馬鹿《ばか》な！」

捨松はこの世の終わりとばかりに、ぼさぼさの髪の毛をかきむしる。「それじゃ、狛江《こまえ》市で生まれていたら名前はこまえだったんですか。そんな馬鹿な話ってない」

親の命名法に初対面でケチをつけないでほしい。私はむっとして、

「あの、あなたは……」

と尋ねた。捨松は胸を張って名乗った。

「松尾《まつお》捨松です」

自分こそ、戦国大名の幼名みたいな時代遅れの名前だ。私は呆《あき》れや怒りを通り越して、笑いだしたくなった。だが、ぐっと我慢した。

捨松は照れたように、

「うはねさん。俺はあなたと森を歩きたい」

と早口で言うと、そのままぷいと去っていってしまった。

「なんなの、あのひと……」

私は首をかしげながら残りのサラダを咀嚼《そしゃく》した。

翌日、捨松は会社の外に張り込んで、帰宅しようとした私を飲みに誘った。三カ月後には私たちは、捨松のアパートで一緒に暮らしはじめていた。

つきあいだしてすぐにわかったのだが、捨松は学生でも研究者でもなかった。でもなにをしている人間なのか、私は聞かなかった。一度こっそりと見た捨松のパスポートには、アマゾン川流域やヒマラヤ山脈のある国々など、およそ普通の観光客が行かないようなところばかりが記されていた。私と暮らしはじめてからも、長期にわたって帰ってこないこともあれば、ふらりとすぐに戻ることもあった。

捨松はまったくの無収入ではなく、一年に一度か二度、五十万とか百万とかの金をぽいと私に手渡す。麻薬の運び屋ではないかと疑いもしたが、こわくて聞けない。だいたい捨松には、そういう仕事につきものであろう荒《すさ》んだ陰はまったくないのだ。

つきあって半年目に、捨松は自分の欄を記入した婚姻届を私に差しだした。そして、「それ書いて出しといて」と言い置くと、また出ていったきり一週間帰ってこなかった。私は丁寧に欄を埋めたあと、それを簞笥のなかにしまった。出会って二回目の夏が来て、今日に至る。

捨松は相変わらず謎《なぞ》に包まれたままだ。

どうして捨松みたいに得体の知れない男と暮らしつづけているんだろう。こんなはずじゃなかった。堅実な勤め先を見つけた私は、ごくまっとうに生活していくはずだったのに。もし結婚するにしても、ちゃんと親に紹介できるひとを選ぼうと思っていたのに。

ところが捨松は、私のそんな人生設計図を丸めて焚《た》き火にくべるような男なのだ。私一人ならじゅうぶん暮らしていけるだけの稼ぎはあるというのに、定期収入のない捨松がおぶさってきたものだから、途端に貧乏生活になった。親にはもちろん捨松を紹介などしていないし、友人にまで、「ねえ、松尾さんってカタギなの？」と心配される始末だ。

それでも私は、なぜか捨松と別れようとは微塵《みじん》も考えない。

友人の結婚式に出席するたびに、わずかに覚えた違和感。経済的に不安のない、容姿も笑っちゃうほど酷《ひど》くはない無難な相手と、適齢期と言われる年齢で示しあわせたようにぱたぱたと結婚する。そこに私は美を見いださなかった。だが捨松といると、そういう違和感がないのだ。

家事は、放浪していないときはほとんど捨松が担当する。私が会社から帰ると、捨松はアパートの庭で摘《つ》んだシソの葉で天ぷらを作ってくれる。食後はこれまた庭から採ってきた、どくだみを煎《せん》じて作った茶を出してくれる。

経済的にはお荷物でしかなく、スーツなんて一着も持っていない捨松だが、私は彼と暮らして「生活」の麗《うるわ》しさを知った。そしてようやく、友人たちが結婚に求めていたのは、この充足感だったのかもしれないな、と思い当たった。彼女たちは決して、捨松みたいな男を相手に選びはしないだろうけれど。

わけのわからない放浪癖を除けば、捨松は私にとってしっくりくる相手だ。将来の見通しなど紙にはいくらでも書けるけれど、ひとの心に書き記すことはできない。計画的な積立貯金が唯一《ゆいいつ》の趣味である私だが、案外、夢見がちというか出たとこ勝負な性格だったようだ。捨松と会って、私は自分のそういう新しい一面を知った。

私は今後も捨松との生活を続けるためにも、今日こそ捨松のあとをつけてみようと決意した。いきなりアマゾンに行かれたのでは、あとを追いようがないが、今回はそう遠くまで行く気もないようだ。私は急いで部屋中の戸締まりをすると、財布を摑《つか》んで外へ出た。大通りを走るタクシーを止め、駅に向かう。

改札口で捨松に追いつくことができた。捨松はのんびりとホームへの階段を下りていく。どこまで行くつもりかわからないから、私はとりあえず初乗り料金分の切符を買った。

乗客もまばらな下り電車は、郊外を抜け田園地帯をひた走る。私は捨松の隣の車両に乗り、連結部分の窓から彼をうかがった。どっかと席に腰を下ろした捨松は、リュックからバナナを取りだしてもしゃもしゃと食べている。駅前の八百屋で買ったようだ。遠足気分なのだろうか。それなら私も誘ってくれたらよかったのに。昼ご飯を食べていなかった私は、騒がしい腹の虫を掌《てのひら》でおさえつけながら、油断なく捨松を見張った。

見張っていたはずだったのだが、いつのまにか居眠りしてしまっていた。ハッと気づいて捨松のほうを見ると、彼もだらしなく座席にもたれ、気持ちよさそうに寝ていた。よかった、見失わなかったようだ。それにしてもここはどのあたりなんだろう。時計を確かめると、もう二時間も電車に乗っている。トンネルがやけに多く、窓の外の景色は緑の濃い山々ばかりだ。

捨松が目を覚まして大きくのびをした。電車は小さな駅に止まる。リュックを背負って捨松は立ちあがった。私も急いで電車を降り、ホームの柱の陰に隠れた。一緒に降りた籠《かご》を背負ったお婆《ばあ》さんが、怪訝《けげん》そうに私を見ながら通り過ぎていく。捨松は振り向きもせず、確信に満ちた足取りで改札を通って外へ出た。

私も小走りで改札に向かう。ところがそこには、駅員の姿が見あたらなかった。改札には小さな木の箱が置いてあって、どうやら切符はそのなかに入れて勝手に通るらしい。さて困ったぞ、と私は思った。精算をしようにも、駅員がいないので運賃がわからない。しかしここまで来て、捨松とはぐれてしまっては大変だ。私は「すみません」と口のなかで謝りながら、初乗り分の切符を木箱に投げ入れた。

駅舎から出ると、そこは小さなロータリーになっていた。まぶしい日差しと、うるさいほどの蟬の声が降り注ぐ。人気《ひとけ》はまったくなく、薄暗い土間に商品を並べた個人商店もひっそりとしている。バスの時刻表を見ても、一日に三本しか便がないようだ。駅前に点在する家々のどこかから、風鈴の音と高校野球の中継が聞こえてくる。

捨松はいったい、こんなさびれた場所になんの用があるのだろう。麻薬の受け渡しをするにしても、港の倉庫や都会の雑踏がふさわしい気がする。あくまで私のイメージだが。

まさか……。恐ろしい疑念に取り憑《つ》かれ、私は気を静めるために自動販売機で茶を買い、ごくごくと飲んだ。まさか、ここに捨松の愛人が住んでいるのでは？

ペットボトルを片手に持ったまま、車通りのない駅前の道に出ると、悠然と先を歩いていく捨松の背中が見えた。

実際には捨松と私は結婚していないのだから、愛人というのは厳密な意味では変である。なにより、甲斐性《かいしょう》という言葉とは、地球からプレアデス星団までぐらい距離のある捨松が、愛人など作れるはずもない。しかし、捨松は野草の調理法にやけに詳しい。それはもしかしたら、この鄙《ひな》の地に暮らす女性から教えてもらったのかもしれないではないか。私はペットボトルの茶が沸騰《ふっとう》しそうなほどカッカとしながら、尾行を続行した。もし捨松が女の家に入っていったりなどしたら、踏みこんでヤツをぎったんぎったんにしてやる。

そんな背後の殺気に気づいたわけでもあるまいが、捨松は人家には目もくれず、どんどん山のほうへ歩いていく。私は息が切れてきた。どこまで行くつもりだろう。もう愛人でもなんでもいいから、そのへんの家に適当に入ってくれないかしら。

私の期待もむなしく、捨松は足を止めずにずんずんと山道を進んだ。私にはまわりを見る余裕などすでになかったが、気がつくといつのまにか道路は舗装もされていない砂利道に変わり、やがてただの土になった。頭上を木々が覆《おお》い、傾斜はきついが陰になって少し楽だ。

捨松は山道の中ほどでとうとう足を止めた。私はあわてて道の脇《わき》の藪《やぶ》に入り、木陰に身を隠す。捨松は用心深くあたりを見まわし、木の幹や転がっている岩の形を確認した。そしておもむろに道から外れてがさがさと藪をかきわけ、山のなかへ入っていってしまった。

私は道へ転がりでると、捨松が山に消えた地点まで走った。植林したまま放置された杉の木が鬱蒼《うっそう》と繁《しげ》り、斜面にはシダ植物がみっしりと生えている。そのなかを登っていく捨松のリュックが、ちらちらと木のあいだに見え隠れした。

「嘘《うそ》でしょう……」

私はワンピースにサンダルという出《い》で立ちの自分の姿を見下ろした。愛人がいるよりも悪い。なにが悲しくて、こんな夏の日に道なき道を行かねばならないのだ。しかし、ここでひるんでいてもしかたがない。覚悟を決めて、藪に突入した。

捨松を見失ったら、確実に遭難する。蚊がたかり、木の枝や草の葉であちこちを切ったけれど、私は必死になって斜面を這《は》い登った。財布とペットボトルの入った買い物かごは、ワンピースのベルトを襷《たすき》がけにして背中にくくりつけた。なぜこんな悲愴《ひそう》な事態に陥ったのか、だんだんわからなくなってくる。私はただ、捨松がどこをほっつきまわっているのか知りたかっただけなのに。

「捨松めぇ……」

荒い息の合間に呪詛《じゅそ》の言葉を吐きながら、私はもう意地になって前進した。捨松はもちろん、私があとをつけているとは知らないから、どんどん先に行ってしまう。私は汗と、心細さからあふれた涙と鼻水で顔をぐしゃぐしゃにしながら、捨松の踏みしだいた下草やナイフで薙《な》ぎはらわれた枝を頼りに斜面を辿《たど》った。

ずいぶん長く感じたが、三十分ほどの山行《さんこう》だったろうか。ついに頂上の平坦《へいたん》な場所まで登りつめた。前方で森が途切れ、その向こうから潮騒《しおさい》が聞こえてくる。よろつく足をなんとか踏みしめ、森から出た。

すがすがしい風が頬を撫《な》で、傾きかけた日差しが私を正面から照らした。山の反対側は崖《がけ》になって海に落ちこんでいるらしく、視界には空しか入らない。思いがけない広々とした空間に、私は深呼吸する。

と、明るさに慣れた目に、捨松の姿が飛びこんできた。逆光で影になってはいるが、彼はなんとも大胆に身を乗りだして、崖下を覗いているようだ。捨松を驚かせてやろう、と声をかけようとして、私は息を呑《の》んだ。捨松が屈《かが》めていた背をすっと伸ばし、いまにも崖から飛びおりようとしたのだ。

「きゃー！　やめてやめて、捨松！」

私はなりふりかまわず走りだし、背後から彼の腰に抱きついた。

「あがっ」

と妙な声を出して、捨松が崖の上でバランスを崩す。私はここに至るまでの運動がたたって、捨松の腰にすがりついたままへたへたとくずおれた。それでも手は放さない。

「早まらないで、捨松！　そんなにショックを受けるとは思わなかったの。婚姻届は明日きっと出すから。あ、日曜でも役所は受け付けてくれるんだよ。ね、だから自殺なんてやめて！」

「うはね、ちょっとそんなに押したら危ない……！」

捨松はなんとか足を踏んばって持ちこたえると、身をひねって私の肩に手をかけ、強引に押し倒すようにしてこちらに体重を乗せてきた。背中から地面に倒れこんだ私の上に、捨松がのしかかってくる。私たちは墜落をまぬがれたのだ。安堵《あんど》の思いがこみあげ、私は捨松の背を抱きしめた。

しばらく私たちは折り重なって転がっていたが、やがて捨松が身を起こした。

「なんでここにいるんだ、うはね。それに……」

捨松は私を見下ろし、ぶっと噴きだした。「すごい恰好《かっこう》だ」

「捨松こそ、わざわざこんなところで一人で死のうとしなくてもいいじゃない」

「死ぬ？」

捨松には話がまったく通じなかったようだ。「俺は松を採りに来たんだけど」

よく見ると、捨松の腰にはロープが結ばれていた。もう一方のロープの端は、崖の突端に生えた木にしっかりと結びつけられてある。捨松は、「そうだ、松、松」と言って立ちあがると、展開についていけずに座りこむ私を放って、また崖の縁に歩み寄った。

「ちょっと待っててくれ、うはね。せっかくここまで来たんだから、一緒に帰ろう」

言うが早いか、捨松はするすると崖に消えた。私は四つん這いで縁に近寄っていき、崖から顔を突きだして下を見た。ロープ一本で体を支えた捨松が、崖の中腹に生えた小さな松を掘り起こしていた。

捨松は背負ったリュックからシャベルやピッケルのような道具を次々と取りだしては、松の根を傷《いた》めないように慎重に周囲の土を掘る。ややして彼は松を引っこ抜くと、それを背中のリュックに突き刺すように入れ、軍手をはめた手でロープをたぐって崖を登りはじめた。

「いやあ、お待たせ」

背中から松をのぞかせ、再び崖の上に立った捨松を、私はへたりこんだまま見上げた。なんとか言葉をひねりだす。

「あなたは……、いったいなにをしてるわけ」

「リチャードに頼まれたんだよ。イギリスの盆栽品評会に出品するから、どうしてもこの松が欲しい、ってさ」

捨松はこれまたリュックに入れてきたらしい四角い鉢に、掘り起こしたばかりの松を植え替えた。「すごいだろ、この黒松。海風にさらされてこんなにちっこいけど、これでざっと樹齢百五十年はある大物だぜ」

周囲の土を鉢に入れ、見事な盆栽ができあがる。捨松はたったいま盆栽となった松を、スーパーのレジ袋に入れて手に提《さ》げた。

「これでよし、と。うはね、土地のひとになんか聞かれても、『これはこのひとがいつも持って歩くほど、丹誠《たんせい》こめて育ててる盆栽です』って言ってくれよ」

「これ……犯罪じゃないの？　こんな松を勝手に採っちゃっていいわけ？」

「やや犯罪だな。ここは、ひとの土地だし」

「ちょっと！　だいたいこんなの税関を通るの？」

「盆栽愛好家をなめちゃいけない。盆栽は立派な芸術品として世界に出まわってるんだぞ」

捨松は初めて私に名乗ったときと同じく、誇らしげに胸を張った。盆栽は芸術かもしれないが、この盆栽はたったいま、自然界から盗掘されたものではないか。

私はずっと心にわだかまっていたことを、ついにぶつけるチャンスが来たと思った。

「捨松……あなた、職業はなんなの？」

「言ってなかったっけ？」

捨松は古戦場を案内する老人のように、厳《おごそ》かに述べた。「プラント・ハンターだよ」

「プラント・ハンター！」

思いもよらなかった職業名に、私は叫んだ。「……って、なに？」

「ええ!?」

捨松は腰のロープをはずし、くるくると巻き取りながらまくしたてる。「プラント・ハンターって言えばおまえ、未知の植物を求めて世界中をさすらう冒険者に決まってるだろ。あるときはアマゾンでインディオと共に暮らし、祈禱師《きとうし》から薬草を教えてもらう。またあるときは孤独を友にヒマラヤの奥地を進み、咲き乱れる新種の花々を発見する。そしてたまには小遣い稼ぎにこうして、盆栽になりそうな松をいただいてきたりもするのだ」

わかった？　と捨松は言った。わからない、と私は首を振る。

「その薬草や花をどうするの？」

「そりゃあ、アメリカあたりの製薬会社や、イギリスの園芸家に売るのさ。薬草を分析して新薬が開発されたり、花は増やして庭に植えられたり。人々の役に立つ、なかなか刺激的な楽しい仕事だ」

「でも、あんまりお金にはならないのね？」

と私は言った。

「残念ながら」

と捨松は言った。私の手をひっぱって立たせつつ、捨松は笑う。

「まあ、しょうがない。ロマンは金にはならないと昔っから決まってる。珍しい植物を根こそぎ盗《と》っていった大航海時代のプラント・ハンターとは違って、現代のプラント・ハンターは、新しい植物資源の発見と保護を第一に考えるのが仕事なんだから」

それでも、俺がアマゾンから持ち帰った草から、もうすぐ心臓病の新薬が完成するんだぜ。捨松は片手に松の入ったレジ袋を持ち、もう片方の手で私の手を引きながら、森に向かって歩きだす。

このひと、ホントのあほだったんだ。私はしみじみと思った。いまどき、プラント・ハンターだなんて聞いたこともない職業を自称し、冒険だのロマンだのと大まじめに語る男がいたなんて、信じられない。そしてそんな男の差しだす婚姻届に、私は名前を書いちゃっただなんて。恥ずかしくてだれにも言えやしない。

でも、まあいいか。私は捨松と手をつないだまま、くすくすと笑った。捨松と森を歩くのも悪くない。捨松はいつか、植物を夢中になって追うあまり、今日みたいな崖から人知れず転落死してしまうかもしれないし、私は明日にも、車にはねられて死ぬかもしれない。この先どうなるかなんてだれにもわからないんだから、捨松と行けるところまでは一緒に、道もない森のなかを進んでみるのもいいだろう。

私たちは夕暮れの山の斜面を慎重に下る。

「ねえ、捨松」

私はふと思いついて聞いてみた。「私たちが初めて会った日に言った、『あなたと森を歩きたい』って言葉。あれはなんだったの？」

捨松は藪を漕《こ》ぎながら、「ああ、あれか」と、いつもどおりののんびりした声で答えた。

「あれは、アマゾンのインディオのあいだでは、『あんたとセックスしたい』って意味なんだ。なんたって彼らは壁もないような見通しのいい家に住んでて、逢《あ》い引きの場は森しかないからなあ」

捨松にロマンティックなものを期待した私が愚かだった。しかし私は怒ろうとして果たせず、また笑ってしまった。

「やっぱり私、明日役所に行くのはやめにしようかな」

「いいよ」

捨松は私を振り返り、とても柔らかい眼差《まなざ》しで言った。「俺はどっちだっていいんだ。うはねがいて、俺がいて、地球に植物がありゃあ、それでもう完璧《かんぺき》なんだから」

そうして捨松が見せた笑顔を、私はきっと、ずっと覚えているだろう。もしもいつか、私たちの心が遠く隔てられてしまう日が来ても、この笑顔はいつも私のどこかにあり、花が咲いて散って実をつけるみたいに完璧な調和のなかで、私の記憶を磨きつづけるのだ。

かつて私を森に誘った男がいて、私はとても幸福だった、と。

山を下りた私たちは、電車のなかでバナナの残りを食べ、すべての星が出そろった空の下を、手をつないでアパートに帰っていった。

優雅な生活

最近はやりの「自分にとっても地球にとっても快適な暮らしかた」が、まさかここまで浸透しているとは思わなかった。

さよりは会議室のドアを開けた体勢のまま、動きを数秒間停止した。室内では同僚の女子事務員三人が、昼の弁当を食べている。赤やピンクや黄色の弁当箱は、筆入れほどの大きさしかない。そのなかに、各人手製のご飯とおかずがこぢんまりと収まっているのだが、

茶色い

とさよりは思った。飯粒も切り身の焼き魚もたくあんも梅干しまでもが茶色く、弁当箱の中身は総じて砂をかぶったようなのだった。

「あら、さよりちゃん。めずらしいわね」

事務員のなかで一番年かさの大貫《おおぬき》が、にこやかにさよりを手招きした。さよりは「唐揚げチャーハン弁当」の入ったコンビニの袋をがさつかせながら、空いたパイプ椅子《いす》に座る。新入り事務員の小境《こさかい》が気を利《き》かせて、さよりが持っていた湯飲みにヤカ

ンの茶を注《つ》いでくれた。

「みんな、毎日会議室でお昼ご飯を食べてるの？」

さよりが聞くと、隣にいた二年後輩の広中《ひろなか》は「そうですよ」と朗らかに答えた。

「ここなら、おじさんたちに邪魔されないし」

邪魔はされないだろうが、昼休みも仕事中と変わらぬ顔ぶれでいるのも苦痛だろう。さよりはそう思ったのだが、事務員三人は楽しそうにおしゃべりを再開した。さよりにも話題を振ってくれるのだが、さよりは曖昧《あいまい》な微笑を浮かべ、チャーハン弁当をかきこむことに専心した。百パーセントコットンの無漂白シャツや、無農薬野菜のお取り寄せや、アロマオイルマッサージのことなど、よくわからなかったからだ。

話題のかすかな切れ間に、思いきって聞いてみた。

「ご飯が茶色いね？」

いっせいに三人からの視線を浴び、さよりは身を縮めることになった。

「玄米ですよ、先輩」

と広中が言った。「私は白米と混ぜてますけど」

「私のは雑穀《ざっこく》と白米のブレンドです」

と小境。「大貫さんのは、玄米だけです」

「おいしく炊《た》くのに、ちょっとコツがいるのよ」

と大貫は言い、それから三人は「玄米を炊くときにベストな水の量」について議論をはじめた。さよりは「はあ、はあ」と圧倒されるばかりだった。白米炊きのときに比して水は一・五倍か一・三倍かなど、微妙すぎてついていけない。玄米を炊いたことがなく、判断できない。

ただ、「なるほど」と思った。このごろなぜ、自分を除く女子事務員が布製のペッタンコの室内履きを社内で使用しているのか。紺か白のコットンの洋服ばかり着るようになったのか。肌に張りがあり、髪がつややかなのか。大貫が煙草《たばこ》をやめ、広中がお見合いパーティーを渡り歩かなくなり、小境がレイバーの彼氏と別れたのか。小境の彼氏も、ケミカルに手を出さず大麻で留めておけば、別れを切りだされることはなかったはずだ。

さよりは確信した。これしかない。私の生活を甦《よみがえ》らせるためには、この三人に見習った暮らしをするしかない。

添加物まみれのチャーハンを食べながら、さよりは生きかたの改善を自身に誓った。

五時きっかりに退社すると、さよりは自宅近くのスーパーマーケットを目指した。

いつもなら、仕事が終わると映画の試写会に行ったり、カルチャーセンターの日本刺《し》繡《しゅう》の講座へ行ったりする。だがその日は、試写会の懸賞ハガキも全部はずれていたし、講座もお休みだったので、なにも予定が入っていなかった。

神は私の今後を祝福してくれている。

さよりは勇んで、スーパーの米類の棚のまえに立った。意識して眺めると、棚には玄米やら雑穀パックやらがたくさん並んでいた。これに気づかず、ひたすら安さを基準に適当な白米を選んでいた自分は馬鹿《ばか》だと思った。

種類がありすぎて、どれがいいのかわからないので、一番小さくて単価の安い玄米と雑穀の袋を買った。やはり安さが基準なのかと自己嫌悪《けんお》に陥りそうになったが、まだまだはじまったばかりなのだ。うちひしがれている暇はない。気を取り直し、駅前のスーパーからマンションまでの十三分の道のりを鼻歌を歌いながらたどった。

部屋の玄関を開ける。小さな窓しかない台所は、もう真っ暗だった。ずいぶん日が短くなった。靴を脱いださよりは、足裏に伝わる冷気に身震いしながら、短い廊下を進む。建てつけの悪い合板のスライドドアの隙間《すきま》から、廊下に明かりが漏れている。

「ただいま、俊《とし》ちゃん」

ドアを引き開けたさよりは、塊になって廊下にあふれでた煙草の煙を正面から浴びた。「ちょっと、吸いすぎだよ！」

フローリングの小部屋では、スウェットの上下を着た俊明《としあき》が、くわえ煙草でパソコンに向かっていた。さよりは部屋に踏みこみ、格子《こうし》のついた窓を開ける。

設計上の不備でできたような三畳ほどの面積のこの部屋を、さよりは納戸《なんど》にしようと思っていた。ところが、転がりこんできた俊明になし崩しのうちに占拠され、なんとなく仕事場として使われて二年弱が経《た》つ。

次の契約更新の際には、二人で家賃を折半《せっぱん》して、もっと広いマンションに越したいとさよりは思っていた。ヤニで汚染された壁紙の張り替え費用は、当然、俊明に払ってもらわないと割に合わない。

「おかえり」

と、俊明がようやく言った。窓から吹きこむ寒風にさらされ、パソコン画面に傾注していた集中力が途切れたようだ。キーボードを打つ手を止め、事務用椅子に背中を預けて伸びをする。

「今日は早かったんだな」

「玄米を炊こうと思って」

さよりはスーパーの袋を掲げてみせた。

「……なんで玄米」

「健康にいいから」

「飯ならいつもどおり、七時半に炊けるようにセットしてあるけど」

「えー？」

「えー、って」

俊明がはじめて、パソコン画面からさよりへ視線を移した。無精髭《ぶしょうひげ》が生え、目の下が黒ずんでいた。俊ちゃん、今日もお風呂《ふろ》に入らなかったんだ、とさよりは思った。たしか三日目だ。髪もぼさぼさで、煙草で薫製《くんせい》した寝不足の野犬みたいになっている。

「きみがいつも、『一日じゅう家にいるんだから、ご飯ぐらい炊いといてよね』って言うんじゃないか」

「そうだけど、今日からうちは玄米にするから」

「玄米ってたしか、七時間ぐらい水につけておく必要があったはずだぞ」

「そうなんだ……」

さよりはひるんだ。「雑穀もあるんだけど」

「鳥の餌《えさ》じゃあるまいし！」

俊明が吼《ほ》えた。「ひとが血尿出るほど締め切りに追われてるときに、なんできみはけったいなことをはじめんの？　白米じゃ駄目な理由を述べてみろよ」

　そこでさよりは、同僚の女子事務員のあいだで玄米やコットンの服やペッタンコの室内履きがはやっていることを説明した。彼女たちが美しく健康的になったことも。

「大丈夫だ」

　と俊明は言った。「さよりは充分に健康的だ。健康的すぎて豊満寄りなぐらいだ」

「だから玄米を食べるの。あと、ヨガもやる。運動不足だから」

「俺は自分の彼女に、極端な柔軟性は求めていない。運動なら、この締め切り地獄が終わったら思う存分お相手する」

　げっへっへ、と下品な笑いを漏らした俊明の頭頂部に、さよりは玄米と雑穀の入った袋を置いた。

「俊ちゃんも、私と一緒に玄米を食べてヨガをやるのよ」

「なんで俺が！」

　俊明は袋を頭から下ろし、さよりに投げてよこした。「きみはホントに、次から次へとどうしようもない思いつきで俺の生活を乱すなあ。寿司《すし》ネタみたいな名前のくせに」

「名前は関係ないでしょ！　私の部屋に居座ってるのは俊ちゃんじゃない！」

俊明は黙って立ちあがり、窓を閉めた。

「そこへ座ってくれ」

さよりがおとなしく事務用椅子に座ると、俊明は窓辺で体を反転し、さよりを見下ろした。「いいか。俺は今夜じゅうに原稿を三本書き、テープ起こしを二本し、明日は早朝から取材で静岡に行かねばならん。玄米問題については、早期決着したいところだ」

「わかった」

さよりはうなずいた。「話し合いのまえに、玄米を水につけてきていい？」

「どうぞ」

さよりは薄暗い台所に行き、寒さを足踏みで追い払いながら、玄米の袋の裏面に書かれた「炊きかた」を読んだ。玄米を軽くすすいでボウルに入れ、水を張る。

狭い仕事部屋に戻ると、俊明はまだ窓辺に立ったまま煙草を吸っていた。さよりは再び事務用椅子に座った。

「最近、玄米やヨガがはやっていることは、もちろん俺も知ってる」

と俊明は言った。「自分の快適さと同時に、環境への配慮も欠かさずに暮らすというのも、崇高《すうこう》な理念だと思う。いわゆるロハスというやつだな。だが俺は嫌いだ」

「なんで！」

「崇高すぎてうさんくさいだろう！　それを標榜《ひょうぼう》してる芸能人のほとんどが、バブル期に浮かれてたやつらだぞ。そしていままた、その崇高なライフスタイルとやらで食ってるんだぞ。金のにおいがプンプンする。自分の生活の質的向上が、すなわち地球環境の向上につながるなんて、思い上がりの誇大妄想だ。『生きてること自体が罪』という発想のキリスト教的独善が行き着く果てだ。ロハス信仰の本家本元、何億円も稼ぐようなハリウッドスターが陥りそうな考えじゃないか。そんなに環境を憂慮するなら、地球の邪魔にならぬよう腹かっさばいて死ね」

「またさあ、すぐそういう極端なこと言う」

　さよりはため息をついた。しかし睡眠が足りていない俊明は、ドライブがかかり口が止まらないようだ。

「玄米を食べたいやつは、食べていい。ロハスな生活したいやつは、すればいい。だが忘れるな、さより！　おいしい水をわざわざ取り寄せなくても、水道水を煮沸《しゃふつ》して特売の茶をいれりゃいいんだ。ふだんの生活で、俺たちは充分、地球とともに生きている。自分をナニサマと勘違いして、お取り寄せだなんだと仕組まれた経済ゲームに乗るのか理解に苦しむね、俺は」

「仕組まれた?」

「このブームの陰に、仕掛け人がいないわけがない。そいつは絶対に、無農薬野菜を使った何万円もするディナーを毎晩のように美女と食って、六本木に住んでるぞ」

「どういう偏見よ」

さよりはあきれ、今晩のメニューは冷凍しておいた鮭《さけ》の切り身を焼いて、あとは卵焼きでいいかな、それじゃ朝ご飯みたいかな、などと考えた。

「とにかく、俺はロハスブームに乗るつもりはない。あちらも、俺のような小汚い男などお呼びじゃないだろう。お互いに敬して遠ざける。それが平和的かつ友好的なありかただ」

「そうかなあ」

「そうだ。よって、俺は玄米は食べない。きみは七時間後から炊きはじめて、思いっきり食べるといい」

話は終わったとばかりに、俊明はさよりを椅子から追い立てた。さよりは部屋の戸口に立ち、パソコンに向かった俊明のつむじを眺めた。

「どうしてそんなに、白米にこだわるの」

「聞こえてくるんだよ」

パソコン画面に顔を向けたまま、俊明は低い声で言った。「白いご飯を食べたいと言いながら、戦時中に死んでいった人々の嘆きが」

「戦後三十年してから生まれたのに？」

「そうだ。白い飯への渇望《かつぼう》は、それぐらい根深いものだと知れ。玄米、雑穀、麦飯？ハッ、そういうのはなあ、『健康のために』なんて軽い動機で食うもんじゃないんだよ。白米を食いたいなあと泣く涙の塩味をおかずに食うもんなんだよ」

「壮絶なんだね」

「ああ。野坂昭如《のさかあきゆき》の『火垂《ほた》るの墓』に、印象的なシーンがある」

と、俊明は突然言いだした。「主人公の少年が、後悔するのさ。食い物が豊富にあったころ、嫌いな天ぷらを犬にやったことをな。あれを読んで以降、俺は心に決めている。食い物があるうちは、好き嫌いや選り好みをせず、生きていけるだけの飯をきちんと食おう、ってな。白米を食えずに死んでいったひともいるのに、その白米がいまちゃんとあるのに、なぜわざわざ玄米なんだ。平和な世の中に感謝しながら、白米を食おうじゃないか」

しゃべりながら、手は猛然とキーボードを叩《たた》いている。さよりがパソコン画面を覗《のぞ》くと、「天へと至る新しい道を、きみはもう見たか!?」と題する文章が表示されていた。「スカイロード」という車の新型に試乗した体験記事を書いているようだ。

経済ゲームに乗らなければ、生活も仕事もできはしない。締め切りで切羽詰まっているがゆえの大演説だったのかと納得し、さよりはやれやれと首を振って、俊明の仕事部屋から出た。

居間に暖房を入れ、布団《ふとん》を二組敷いたら満杯の寝室で着替えると、台所で夕飯を作った。鮭の焼けるにおいが漂っても、俊明は仕事部屋から姿を現さなかった。

さよりは炊きあがった白米を茶碗《ちゃわん》によそい、一人で夕飯を食べた。残ったご飯を一膳《ぜん》ぶんずつラップで包み、冷まして冷凍庫に入れる。水に浸しておいた玄米を炊飯器に移し、朝の六時に炊けるようタイマーをセットした。水量は白米のときの一・五倍にしておいた。

居間のテレビはにぎやかに、お笑い番組やドラマを映しだす。夕刊を片手に、ミカンを食べながらテレビを眺め、十時半になったのを機に風呂に入った。俊明が使わないと、風呂の水はあまり汚れない。追い焚《だ》きをして、のんびりと湯船に浸《つ》かった。

明日は取材で出かけると言っていたから、今夜はきっと俊明も風呂に入るだろう。湯を抜かずに、風呂場を出る。だけど俊明は、使い終わった風呂を掃除することはしないんだ。疲れたと布団にもぐって、それでおしまい。さよりはなんだか腹が立ってきて、脱衣所で猛然と体を拭《ふ》いた。

結局、会社から帰った私が風呂掃除することになる。私だって疲れている。会社で毎日、同じメンツで仕事をして、基本的に八時五時の勤務態勢とはいえど、上司にも同僚にも気をつかって疲れているのに。俊明は勝手に私の部屋に住みついて納戸を仕事場にし、家事といったって米を研いで炊飯器にセットする程度で、生活費を八割負担してるんだからそれで文句はないだろ、という態度だ。家賃は私が全額払ってるのに！　私が自分の金で買ってきた玄米ぐらい、つべこべ言わずに食べたらいいじゃないか。

バスタオルが摩擦熱で溶けそうになったので、さよりはようやく体を拭くのをやめ、パジャマを着た。仕事場のまえの廊下に立ち、ドア越しに「おやすみ」と声をかける。

「んー」と間延びした返事が三秒遅れて来た。

髪を乾かすのは、もう面倒だ。余計な電力を使わないのは地球のためにもいいだろうと考え、枕《まくら》にタオルを敷いて寝ることにした。隣の布団は空っぽだ。身を乗りだしてシーツに鼻先を押しつけると、俊明のにおいがした。

枕元の目覚まし時計がちゃんとセットされているか確認してから、さよりは自分の枕に頭を落ち着け、目を閉じた。

なんだかむなしいと思った。

翌朝、炊けていた玄米については、さよりはあまり語りたくない。徹夜明けの俊明は、風呂に入りヒゲもあたって、こざっぱりした姿で食卓についた。しかしクマだけは隠しようがなく、殺人衝動をどうにか抑えた凶悪犯のような面《つら》がまえだ。さよりが茶碗によそった玄米に異議を唱える気力もないらしく、黙って箸《はし》を動かした。

さよりも玄米にちょっと失望した。もそもそしていて、お世辞にもおいしいとは言えなかったからだ。炊きかたが悪かったのか、もとからこういうものなのか。いきなり玄米だけにせず、慣れるまでは白米も混ぜてみよう。精米に比べてミネラル不足になることもあるそうだから、おかずも野菜中心にしなければ。そうして玄米を食べつづければ、確実に体にいいはずなのだ。さよりは自分に言い聞かせ、みそ汁とともに玄米ご飯を飲みくだした。

無言のままの俊明に感想を聞くと、俊明は口をもごもごさせながら、空いた茶碗を流しに下げた。

「そうだな、無闇《むやみ》やたらに咀嚼《そしゃく》しないとならないから、眠気覚ましになったな」

味についての言及はなかった。さよりは取材に行く俊明と連れだって駅まで歩き、満員電車に乗って新宿に出た。

「いくら快適さを追求したところで……」

と、車内でねじれた体勢になった俊明は言いかけたが、さよりがにらむと口をつぐんだ。そのまま東京駅へ向かう俊明にホームから手を振った。電車の窓ガラス越しに、俊明のぼさぼさの頭が見えていた。さよりは山手線に乗り換え、渋谷にある会社にいつもどおりの時刻に出勤した。

玄米を炊いたことを昼休みに報告すると、大貫たちは喜んでくれた。さよりも玄米ご飯で弁当を作ってきたので、四人で茶色い昼食を摂《と》った。

「平《たいら》さんて、いま彼氏と住んでるんですよね」

小境がかわいらしく首をかしげる。「急に玄米じゃ、いやがりませんでした？」

「そうなのよね」

と大貫も嘆息する。「うちも旦那《だんな》が怒るから、べつに精米も炊いてるのよ。白米にかける男の意気込みって、あれいったいなんなの？」

「さあ」

と、さよりは会社で使い慣れた曖昧な微笑を浮かべてみせた。「なんだかブーブー言ってたわりに、しまいには『顎《あご》の運動になる』って、たいらげてましたけど」

「じゃあいいじゃないですかぁ」

広中がはしゃいだ声を上げる。「同居人の反対で、玄米食を断念するひとってけっこう多いんですよ」

あなたにはまず、反対してくれる同居人からしていないものね、と意地の悪いことを考え、さよりはあわてて打ち消した。どうしちゃったんだろう。まずいものを食べてるから、心が荒《すさ》んだのか。たった二食で。さよりは自身の内心を探ってみた。荒みは玄米などとは関係なく、ずっと根を張っていたもののような気がした。

大貫たちは、無理せず玄米を食べる方法をいろいろ教えてくれた。白米四に玄米一の割合でご飯を炊き、カレーライスにすると適度な歯ごたえがあっておいしい。ルーは市販のものでもいいが、具は野菜だけにする。具を麺《めん》つゆで軽く煮て下味をつけ、そこに粉末のルーを入れると、油を使わずにカレーができる。片栗粉《かたくりこ》でとろみをつければ、蕎麦屋《そばや》のカレー風味の健康食ができあがり。時間があるときは、もちろん麺つゆも手作りすること。出汁《だし》は冷凍して作り置きできるから、和製スープストックとして便利だ。

さよりは熱心にメモし、早速実践した。健康カレーライスは俊明にも好評だった。

さよりは楽しくなってきた。会社での室内履きを踵《かかと》のないものに替え、ヨガマットも買った。教本をかたわらに置き、家でテレビを見ながらポージングに励んだ。体によさそうな献立を考え、柔軟性を獲得していく関節を実感する。やりがいがあった。

健康的な生活を一カ月ほどつづけ、そろそろ十二月も半ばに差し掛かった。

そのころには、俊明も玄米の割合が高いご飯に文句を言わなくなった。さよりは便秘をしなくなり、肌も心なしかつやを取り戻し、脚も以前より開くようになった。それにもかかわらず、むなしさはぬぐいきれなかった。このむなしさの原因はどこにあるんだろう、とさよりは思った。

そんなある晩、めずらしく日付が変わるまえに俊明が仕事部屋から出てきた。俊明が風呂に入っている物音を聞きながら、さよりは「もしかして」と期待した。寝室にやってきた俊明は案の定、自分の布団を素通りしてさよりの布団にもぐりこんできた。

それからよろしくいろいろあって、いざというときに、さよりは俊明の汗ばんだ肩を叩いて喚起した。

「はい、これ」

ぬかりなく目覚まし時計の陰に用意しておいたコンドームだ。俊明は顔を上げた。

「あれ、危険日だったっけ？」

「たぶん平気だと思うけど、念のため」

するとと俊明は、さよりの脚をつかんで自分の腰の位置を微妙に合わせながら、真剣な表情で覗きこんできた。

「さより。こんなゴム製品を使っていいと思ってるのか。ロハスの理念に反するぞ」

次の瞬間、さよりは俊明の腹を蹴《け》り飛ばし、布団のうえに半身を起こした。

「そんなのはロハスの理念と関係ないー！」

俊明はさよりの絶叫に驚いたのか、仰向《あおむ》けに転がったまま、「わかった」と言った。

「冗談です。ゴムつけます」

「わかってない！」

さよりは枕を抱え、それをボコボコと殴った。「俊ちゃんはちっとも全然なんにもわかってない！　危険日や安全日なんてもんは、絶対じゃないんだよ。いま子どもができて、それを育てていくだけの甲斐性《かいしょう》が私たちにあるの？　俊ちゃんなんか、一人じゃ部屋借りられなくてここにいるくせに！　だいたい、『妊娠しないかな』なんて思いながらセックスするの、私いやなんだよ！　コンドームしたほうが、心安らかにのびのびセックスできて気持ちいいんだよ！　そういう私の精神状態とセックスとの相関関係を、俊ちゃんはわかってない！」

「すみません……」

と、俊明も布団に身を起こしうなだれた。性器も元気をなくしつつある。

「一緒に住んでるのに、なぜか家事は私ばっかりやってるし、俊ちゃんは文句言ってたわりに玄米食べて、一人で楽して健康になってるし！」

「いや、俺はできることなら、白米を食べたいといまでも思ってるけど」

「だったらたまにはご飯を作ってよ！」

　さよりはなんだか泣けてきた。泣きたくないと思っているのに、涙が出てくる。

「俊ちゃん。私が玄米を食べたりヨガをはじめたりしたのはね。これなら、家にいることの多い俊ちゃんとも一緒にできると思ったからだよ」

　言葉にすると、理由はこれ以外にないと思えてきた。ロハス的生活を目指そうと決意したのも、俊明との今後を考えてのことだし、それを実践してもむなしさがぬぐいきれなかったのは、あいかわらず俊明が受け身なままだったからだ。

「なのに俊ちゃんは、私の気持ちをちっとも汲《く》まない」

「それはちょっと、言ってくれないと汲みきれないものが……」

　と、俊明は小声で反論したが、さよりは耳を貸さずにつづけた。

「出された玄米を食べはするけど、煙草もばかばか吸うしさ。むなしいんだよ。自分が馬鹿みたいに思えてくるんだよ。私、俊ちゃんと暮らして、なんで世の中の男女が結婚して家買って子ども作るのかわかった。そうでもしないと、このむなしさに耐えられないからだよ！　二人の共同作業を次々にこなしていかないと、男と女なんて関係が継続しないんだよ！」

「ちょっと待った」

俊明が掌《てのひら》を突きだした。「さより、俺と結婚する気あるのか？」

「ないわよ」

「なんなんだよ」

「二人の稼ぎでようやくマンションを一部屋借りて生活してる状態で、結婚してどうすんのよ。そのあと、家買って子どもも作らなきゃならないのに」

「そうと決まってるわけでもないと思うけどなあ」

「と、最初はだれでも言う。だけど、友だちで結婚したひとを思い浮かべてみて。みんな、家買うか子ども作るかそのどちらもか、もしくはその二つを目標に必死に働いてるか、どれかじゃない。そうでもしないかぎり、一緒に暮らしつづけるのは困難だからよ」

「夢も希望もないねえ」

「だから私は」

と、さよりはしゃくりあげた。「結婚も家も子どもも遠いけど、それでも俊ちゃんとなにか共同作業しなきゃと思って、一緒に健康的な生活に邁進《まいしん》しようと頑張ってるんじゃない」

「わかった」

と俊明は言った。「俺の意志が大幅に無視されてるような気はするが、きみの気持ちはわかった。さよりが本気だと言うなら、俺が本物のロハスを見せてやる！」

「本物のロハスってなによ」

「まず、ゴム製品は使わない」

俊明は股間《こかん》の息子をしごきながらのしかかってきた。さよりは必死に腕を振りまわす。

「なんでそうなるの！」

「ここんとこ忙しくて、もう一カ月近くしてないでしょ。悪いけど、俺は限界だ。子どもができたら、血尿のうえに血便が出てもいい覚悟で働くから、きみも自由にのびのびと楽しんでほしい」

「ばかー！」

と、さよりはその夜二回目の叫びを上げたが、俊明は着々と行為を進めた。脚が上がるようになったなあ、さより。ヨガのおかげかな。よいしょ、ここらで体勢にちょっと捻《ひね》りを加えて。などと、嬉《うれ》しそうだ。

さよりも最初は怒っていたのだが、俊明の真面目ぶった言葉と強引なようで優しい手管についつい噴きだし、しまいには没頭した。

次の朝、さよりは暖房をつけようとして、布団にくるまったままエアコンのリモコンを手探りした。リモコンは見つからず、かわりにシュッシュッとなにかを擦《こす》る音が継続して聞こえる。

横たわったまま視線を上げると、トランクス一枚の俊明が手ぬぐいで乾布《かんぷ》摩擦していた。

「おはよう、さより」

と俊明は言った。息が白い。

「まさかエアコンをつけようなんて思っていないだろうね。さあ、起きろ」

「いやだ、寒い……」

「今日にも火鉢と炭を買ってくるから、我慢しろ。それから、朝にシャワーなんてのももったいないから駄目だ」

「えー。昨夜《ゆうべ》、そのまま寝ちゃったのに」

「鍋《なべ》にお湯を沸かしている。それで体を拭けばいいだろう」

ほら、と使っていた手ぬぐいを、俊明はさよりの手に握らせた。


「それで、どうしたの？」

大貫は笑いをこらえかねたらしく、弁当を食べるのを一時中断した。

「どうしたもこうしたも、大変な日々です」

さよりは、俊明のお手製弁当を見下ろしてため息をついた。冷蔵庫から、動物性たんぱく質は姿を消した。肉や魚はもちろん、卵や牛乳やチーズもだ。その日の弁当は、玄米ご飯にほうれん草のゴマ和《あ》え。ゴボウとこんにゃくの煮物。無農薬大豆から作り、植物性油で揚げてあるという厚揚げを軽く湯通しし、醤油《しょうゆ》とおかかをかけたものだった。

もっと鮮やかな色がついた料理を食べたい、とさよりは心から思う。俊明はすっかり張り切っていて、ここのところ連日、夕飯にも豆腐ハンバーグや豆乳鍋を用意していた。

味噌《みそ》も俊明の母親が作っているという無添加のものを送ってもらった。ブツブツが残っていて、濃厚な味でおいしいが、なんだか大豆ばかり食べている気がする。

「醬油も自分で作りたいところだな」

と、俊明は言っている。朝はさよりと一緒にマンションを出て、三十分ほど歩いたところにある農家の無人販売所で野菜を買い求めているようだ。

「有機栽培だから形も悪いしちょっと高いけど、うまいだろ？」

俊明は満足そうだ。自分が言いだした手前もあり、「そこまでしなくていいよ」とさよりは言えずにいる。

さよりのヨガにもつきあい、俊明は居間であやしげな性の指南書を見ながら体を曲げる。

「あやしくなんかない。カーマ・スートラだ。これができるようになるまでがんばろう」

と指し示された図は、両者の柔軟性および腹筋背筋が極限まで試される姿勢で、がんばりでどうにかなるものとは思えなかった。

「それって、彼氏のいやがらせっていうか反抗っていうか反撃じゃないですか？」

広中がくすくす笑いながら言った。「ざまあみろ」と思っているように見えるのは、さよりの考えすぎか。

「単純にそうとも言い切れないのが、悩んじゃうところ」

と、さよりは余裕の笑みで応《こた》えたが、内心でこっそり、「悩むというより、恐ろしいところ、だ」と補足した。

そう、俊明はもう二週間も、朝型の生活に切りかえ、家事に励んでいる。肉類はいっさい食べず、食材の無添加や無農薬にこだわる。洗濯の際も洗剤ではなく石鹸《せっけん》を使い、風呂の残り水を再利用している。風呂場からもボディソープやシャンプーやリンスの類《たぐい》は消え、牛乳石鹸が置かれるようになった。それで洗ったらさすがに髪が傷《いた》むだろうとさよりは思ったのだが、俊明はぬかりなく、蜂蜜《はちみつ》で髪をパックしてくれた。

煙草もやめているようだ。さよりが会社に行っているあいだに吸うのかもしれないが、仕事部屋の煙草臭は確実に薄らいできている。居間は静かで寒い。テレビはつけないし、暖房器具が七輪のほかにないからだ。

俊明は火鉢を探しにいったのだが、古道具屋でけっこう高かったらしい。かわりにホームセンターで安売りの小さな七輪と豆炭を買ってきた。二人でそれに手をかざして暖をとるほかない。密閉度の高いマンションで、一酸化炭素中毒にでもなったらいやだ。さよりは抗議したのだが、俊明はご丁寧に寒風吹きすさぶベランダに出て豆炭に火を熾《おこ》し、そのあともこまめに換気する。いまではさよりも、まろやかな豆炭が赤く熱を内側に宿すのを、ぼんやりと眺めるようになった。

寒い居間では、二人で一心不乱にヨガをするしかない。適度に運動して体があたたまると、その隙を逃さず寝室に移動するしかない。健康生活というより、倹約生活の趣がある。さよりはなんとか、コンドームの装着だけは俊明に納得してもらった。

「どうもロハスじゃないなあ」

と言いつつも、俊明はさよりの言葉に従った。地球にやさしい生活は、当初のさよりの目論見《もくろみ》どおり、二人の距離をいっそう縮める役割を果たしている。

いったい俊明は、どこまで本気なのか。はじめはさよりも、自分への抗議といたずらで、俊明がこの生活をはじめたのだと思った。だったら、こちらから音《ね》を上げることは決してするまいと意地になった。だが俊明はもう二週間も、嬉々《きき》として、楽しげに、不便な生活を満喫している。本気でなければ、ここまではつづかないだろう。そう考えるとさよりは恐ろしいのだった。

さよりが癇癪《かんしゃく》を起こしたから、自分のことをわかっていないと俊明をなじったから、俊明はさよりの気持ちに応えようとしてくれている。それほどさよりのことを大切に考えているのだと思うと、嬉しく、恐《こわ》かった。どのタイミングで「もうやめていい」と言えばいいのかわからなかった。

「いい彼氏ですよね。うらやましいです」

と、小境がなんの含みもなく無邪気に言った。

年内最後の取り引きがある日だったので、さよりたちは昼休みを四十五分で切りあげ、フル回転で働いた。雑居ビルの狭い一室では、支店長が判子をつきまくり、二人しかいない営業部員は戻ってこず、女子事務員たちは飛び交う書類や鳴る電話に次々に対処していった。

さよりは年内にどうしても通してほしいと依頼された書類のデータを、慎重にパソコンに入力していった。会社では工業用の薬品を扱っている。今日じゅうに受注すれば、明日の荷で全国の工場へ届けることができる。年末年始も関係なく動きつづける工場では、工業用の塩酸やメタノールを大量に必要としているのだ。

桁《けた》をまちがえないための注意力と、優先順位を即座に判断する反射神経とを要求される激務を終え、一時間の残業だけでなんとか退社できた。渋谷駅で「おつかれさま」と同僚と別れ、浮き立つ気分で電車に乗った。

街は新年を待ちかねるように紅白で彩《いろど》られている。あと一日。明日、午前中に出社して大掃除をするだけで、正月休みだ。

「正月には帰ってこい」

と、郷里の両親は携帯に電話をかけてくる。家の電話だと、俊明が出るからだ。両親は俊明を避けている。会社勤めもせず、ふらふらした男だと思っている。俊明が血尿が出るほど仕事をしていることを知らない。

帰省してもいいが、電車が混んでいそうだ。兄夫婦が子どもをつれてくるだろうから、さよりが帰らなくても両親はさびしくはないはずだ。さよりは、幼い甥《おい》や姪《めい》の相手をするのがいやだった。「まだ結婚しないのか」と両親や兄に口やかましくされるのも困る。まだもなにも、ここ数年、自分が結婚したいのかどうかもよくわからなくなってきた。

だれでもできる仕事かもしれないが、給料をもらって、職場の人間関係も良好に保つように努力して、なんとかやってきた。結婚するなら俊明がいいなと漠然と思いはするが、いますぐに関係を変える必要性も感じない。一緒に住んでいるんだし、気心も知れているんだし、行けるところまでこのまま行けばいいやと思う。

ああ、そうか——。さよりはふいに思い当たった。ふだんの生活で、俺たちは充分、地球とともに生きている。俊明はそう言った。まったくそのとおりだ。自分のためにとか、地球のためにとか、そんなふうに考えるまでもなく、私はただ笑っちゃうほど生きている。俊明も、会社の同僚たちも、この電車に乗りあわせたひとも。ただ生きているだけで、その結果快適とは程遠い事態に陥ったとしても、べつに恐れたり逃れようとしたりしなくてもいい。いくら恐れても遠ざけられず、逃れたくても追いつかれてしまうものなのだから、排除して快適さを追求しすぎるのは傲慢《ごうまん》だ。

私は傲慢にも、快適さを武器に俊明を永続的に縛りつけようと焦《あせ》っていただけなのかもしれない。さよりはそう思い、そっと息をついた。走る電車の窓ガラスは、その向こうに流れる街の灯りを隠して、白く曇っていた。

まったくもって、生活からは逃れようがない。

さよりは憤然として、台所の床と壁と天井までを雑巾《ぞうきん》で拭いた。家に帰ると、オリーブオイルで石鹼を作ろうとした俊明が苛性《かせい》ソーダを飛び散らせ、本人は換気が不完全だったために喉《のど》をやられてのびていたのだ。

「なにをやってんのよ、もう。大丈夫？」

さよりが助け起こすと、俊明はしばらくして元気を取り戻した。

「いやあ、驚いた。苛性ソーダを注いだら、急にブクブクブクッと液体の温度が上がってさ」

ゴム手袋をつけた俊明は、失敗に終わった石鹼未満の溶液を処分する。「石油を使ってない石鹼を作ってみたかったんだけど、けっこう難しいなあ」

俊明は今度は換気に充分に注意を払い、居間の七輪のそばに座った。気持ちよさそうに上げた顎に、わずかな熱気を当てている。さよりもミカンを手に、俊明の隣に腰を下ろした。

二人で黙々とミカンを剝《む》いて食べる。居間は静かで、さよりと俊明は自然と身を寄せあった。表の通りを走る車の音だけがする。

「きみはお正月、どうする」

「まだ決めてない。俊ちゃんは？」

「俺はここに残る。雑誌に黒豆の煮かたが載ってたから、試してみる」

俊明はずりずりと尻《しり》で移動し、テーブルのうえにあった雑誌を取ると、またずりずりと戻ってきた。「ほら、うまそうだろ。しばらく保《も》つらしいから、さよりが帰省しても取っといてやるよ」

さよりは雑誌の写真を眺めた。つやつやとして粒のそろった黒豆。おいしそうだが、急に苛立《いらだ》ちが湧《わ》いてきた。台所で一人、使える豆を選り分け、糠《ぬか》やら釘《くぎ》やらを投じた鍋でじっくりとそれを煮る。そんなふうに正月を迎える俊明を想像すると、「黒豆なんか市販のものでいいってば！」と抱きついて揺さぶりたいほどさびしいと感じた。勝手な感傷だ。しかも、健康的な生活を提案したのはさよりのほうだ。それでも、耐えられそうになかった。

「お正月は、ここで迎えることにする」

とさよりは言った。「両親のところには二日に顔を出して、一泊してくればいいから」

「そうか？」

と俊明は言った。不吉な予感がしてさよりが顔を上げると、俊明は笑っていた。煮豆の雑誌をぱたりと閉じる。

「じゃあ、元旦は俺と一緒に行こう」

「……どこへ？」

「ご来光を見に、富士山へ！　と言いたいところだが、素人《しろうと》が真冬の富士山になんか行ったら、死んでしまうからな。高尾山にしよう」

「いやだよ！」

「どうしてだ」

「なんで正月早々、山に登ってご来光を見なきゃいけないのかわからない。行くなら俊ちゃん一人で行って。私はテレビを見てる」

「テレビなんて、電磁波の出るものにまだ未練があるのか！」

と俊明は言った。「ご来光を見て、魂から清らかになりたいとは思わないのか！」

「あまり思わない」

どこまで本気かわからないので、さよりは俊明を放ってさっさと就寝し、翌日、出勤して職場の大掃除を終えた。社員全員で軽く一杯引っかけ、「よいお年を」と挨拶《あいさつ》して別れた。

マンションでは俊明が早々とおせち料理の製作に着手していた。料理本と首っぴきで、煮しめやきんとんを作り、かまぼこを切って彩りよく重箱に詰めていく。黒豆もあった。さよりは黒豆の鍋を途中で開けようとして、「しわしわになっちゃうから駄目だ！」と、俊明にこっぴどく叱《しか》られた。

ご来光のことは忘れているようだった。

さよりは安堵《あんど》し、雑煮を作ったり窓ガラスを拭いたり買ってきたミニ門松を玄関に飾ったりした。

大晦日《おおみそか》には借りてきたＤＶＤを見た。また電磁波がどうのこうのと言うかと思ったが、『天国と地獄』だったので俊明はおとなしくテレビ画面を注視した。俊明が一番ぐらいに好んでいる映画だ。

「こいつ、いやなやつだよ」

と、俊明は主人公の権藤金吾《ごんどうきんご》に対してうなり声を上げる。「なにも靴を裂くことないと思わないか。どんな怪力だ」

この作品を見るにあたっての俊明の観点はちょっとおかしいのではないかと思ったが、さよりも映画を楽しんだ。除夜の鐘が遠くで響くのを聞きながら、眠りに就いた。

しかし大晦日は終わっておらず、元旦ははじまっていなかった。

さよりは肩を揺すられ、目を覚ました。窓の外は暗い。

「なに？」

と半覚醒《はんかくせい》状態で枕元の目覚まし時計を見ると、午前三時だ。だが俊明は、洋服を着て厚手のジャンパーを羽織り、リュックを背負っている。

まさか、とさよりは思った。

「さあ、ご来光を見にいこう」

と俊明が笑った。

抵抗むなしく、さよりはメタリックブルーのホンダアコードに乗せられた。車は一路、高尾山を目指す。

「この車どうしたの」

「友だちに借りた。帰省中は使わないからって。排ガスのことを考えると電車のほうがいいけど、荷物も乗り換えもあって面倒だし、混んでるといけないから。登るまえに疲れるのはいやだろ、さより」

夜中に叩き起こされ、山登りする時点で充分にいやだ。さよりはそう思ったが、黙っていた。俊明が楽しそうに運転していたからだ。

「天気はいいみたいだな。よしよし」

二時間ほどのドライブののち、俊明は高尾山口にある駐車場へ車を入れた。驚いたことに、駐車場は乗用車や大型バスでほぼ満車だった。

「ご来光を見にくるひとが、こんなにいるの……」

さよりは気圧《けお》されたが、俊明はリュックを手に「さあ、行こう」とうながす。

「日の出は六時四十六分ごろ。急がないとぎりぎりだぞ」

用意のいいことに、懐中電灯を二本持っていて、一本をさよりに手渡す。どうして懐中電灯……、とさよりは思ったが、すぐに理由は判明した。

俊明は「稲荷山《いなりやま》コース」と立て札のある登山口を選択した。山道はさよりの予想以上に暗かった。真っ暗だ。目が慣れてきても、自分の吐く白い息がかすかに視界を漂うだけ。まえを行く俊明がいるのかいないのかもわからない。ちらちらと揺れる懐中電灯の明かりだけが頼りだ。

　足場が悪い。階段状に横木を埋めたところもあるのだが、その横木が湿っていてひどくすべる。さよりは足もとを照らし、必死になって登った。大きな岩が転がっていたり、木が倒れていたりする場所では、俊明が振り返って手を貸してくれた。それでもさよりは、地面を見る以外の余裕がなかった。

　息が荒くなり、体温が上がる。

「ちょっと休憩しようか」

　ついこのあいだまで喫煙者だった俊明も苦しそうだ。いくらヨガをはじめ、健康的な生活を心がけだしたとはいえ、深夜に登山とは急すぎる。小学生がハイキングに訪れる高尾山でも、運動不足の身にはつらかった。

　さよりと俊明は、少し拓《ひら》けた場所で道の隅によけ、休息を取った。

「見てみろよ、さより」

　そう言われて顔をあげると、木々のあいだにいくつもの懐中電灯の光が見え隠れしている。それは下界から山頂まで、ずっとつづいているのだった。

　ご来光目当ての登山客が何人も、「こんばんは」と挨拶して二人のまえを過ぎていった。「少し急がないとまにあいませんよ」と、からかうように告げる声もあった。

さよりと俊明はそのすべてに挨拶を返した。

さよりは不思議な気持ちになった。暗くて登山客の顔はよく見えない。死者と挨拶しているようだ。自分も死者の列に連なり、どこかを目指しているかのようだ。

俊明が持ってきた水筒には、ほの甘い紅茶が入っていた。それを少し飲み、また登りはじめる。今度は休まず、歩を進めた。懐中電灯で腕時計を照らすと、六時二十分だ。山頂のざわめきが闇のなかを伝わってくる。

道は少し平坦《へいたん》になった。さよりは、ここまで来てまにあわなかったらどうしよう、と気が急《せ》いたが、俊明はのんびりしたものだ。空いた手でさよりと手をつなぎ、山頂の広場の人混みをゆっくりと横切った。

「このへんから見えるかな」

ひとの隙間にうまく陣取り、さよりと俊明は並んで立った。ふいに空が黄金色に輝き、地平線が黒く浮かびあがった。

あそこが地面と空との境目か。そう思ってさよりが眺めていると、今度は橙色《だいだいいろ》の光が地平線沿いに横一線に走った。それはどんどん幅を広くしていき、ついに太陽の丸いカーブが姿を見せた。

登山客から歓声が起こり、カメラのシャッターを切る音がそこかしこから雨音のようにしだした。さよりは俊明と手をつないだままじっとしていた。

太陽は見る間に全貌《ぜんぼう》を現し、そこでとまどったようにちょっとスピードを落としたみたいだった。中空で光を振りまく初日の出に、登山客は満足したような気の抜けたようなため息を漏らした。

「俺の考える本物のロハスはこうだ」

と俊明が言った。「死期を悟った時点で富士山頂に登り、ご来光とともに切腹する」

「な、なんで」

「なんでもだ。そして己《おの》れの内臓をつかみだし、『有機栽培の礎《いしずえ》とならんことを……！』と祈念して息絶える。死体は当然、肥料に使ってもらう」

「それ、絶対にロハスへの理解がまちがってるよ」

「まちがってても、俺はそれが本物だと思うんだから、いいんだ。俺ロハスだ」

俊明はそこでさよりに向き直った。「富士山頂には、きみについてきてほしい。何十年後かわからないけど、最後の最後にバカをやらかすときに、『本当にやってる！』と、きみにそばで笑っていてもらいたいんだ」

そんなの迷惑だ、と心のどこかで思いもしたが、さよりはやはり少し嬉しかった。

「それはプロポーズ？」

「いや、そういうわけじゃない。これからも、いままでみたいにきみと暮らしていきたいな、という俺の意志の表明だ」

太陽は、上空にかかった灰色の雲のなかへ突入しようとしていた。人々は見晴らしのいい場所から離れ、売店で甘酒を買ったり、薬王院のほうへ下山をはじめたりしている。

「わかった」

と、さよりは言った。「私もそう思う。本当にそう思う。でも、健康的な生活はもういいよ。無理して心がけなくても、ふだんどおりで」

「そりゃよかった」

俊明は安心したような笑顔を見せた。「無添加無農薬肉断ちニコチン断ちの生活は、けっこうつらくてなあ。二週間が限度だから、早くさよりがそう言ってくれるといいと思ってた」

やっぱり演技だったのか、とさよりはちょっとがっかりした。でも、もういいか、とも思った。俊明が一生懸命、関係を持続させようと演技してくれたのなら、それでもういいか、と。

「だいたい、俊ちゃんの言う『俺ロハス』は無茶だよ。死期が迫った老人が、富士山に登れるわけないもん。特に私たちなんて、いまでさえ高尾山でヒーヒー言ってるのに」

「そうだなあ。相当まえから、死に備えて富士山頂に住んでる必要が出てくるなあ」

こうやって馬鹿なことを言いあって、喧嘩《けんか》して、いつか死ぬ。

ケーブルカーに乗って、家に帰ろう。さよりはそう思った。そして餅《もち》を食べて、寝正月と決めこむのだ。

大切な約束を交わしたように、楽しい気分だった。

春《はる》太《た》の毎日

「パイプカットでもしたほうがいいかもね」

と麻子《あさこ》が言ったので、

「いやだ」

と俺は答えた。

麻子と一緒に、リビングでごろごろしながら、春の昼下がりをすごしていたときのことだ。

「だって春太《はるた》、このあいだも公園で、かわいい女の子にちょっかいかけてたでしょ」

む、見ていたのか。だけど麻子、それはちがうぞ。ちょっかいをかけてたんじゃなく、かけられていたんだ。

俺は異性にわりと人気があるのだ。いやもう、率直に言って、性別年齢種族を問わず、あらゆる相手からモテモテなのだ。麻子も知ってるだろ？

だから、ほかの子とちょっと仲良くしたからって、いちいち妬《や》かないでほしい。俺がモテるのは俺のせいじゃない。かっこよくてスタイルがいいうえに性格も温厚で、しかもひとを安心させずにはおかない愛嬌《あいきょう》まである俺が、モテてしまうのは不可抗力なのだ。

恨むなら、俺をこんな魅力的な男にした神さまを恨んでくれ。そうだ、俺じゃなく神をパイプカットしろ。な、麻子。そうしようや。パイプカットなんて、そんなおそろしげな言葉で俺をおどすのはやめてくれ。

だいいち、麻子が妬く必要なんて、本当はこれっぽっちもないんだぜ。俺は身も心も麻子ひとすじだ。何度も何度もそう言って、毎日毎日態度で示してるのに、どうして信じてくれないのかなあ。麻子のそういう疑り深いところも、俺は好きだけど。

以上のごとき思いをこめて麻子を見つめていたら、

「なにシマリのない顔してんのよ」

と軽く頭をはたかれた。照れちゃって。かわいいな、麻子。俺は床に腰を下ろし、ソファに座ってテレビを見ている麻子の膝《ひざ》に、そっと顎《あご》をのせた。

窓の外では、桜のはなびらがやわらかく風に舞っている。あったかく湿った土のにおいや、木の芽が少しずつのびていく音が、部屋のなかまで届いてくるような気がする。

「春だなあ」

俺はつぶやく。俺のつぶやきを無視して、麻子はワイドショーを熱心に鑑賞している。

「ほら春太。パイプカットしてる芸能人って、けっこういるんだよ」

その話題はまだつづいてたのか。

有名な時代劇俳優が、浮気癖に手を焼いた妻のすすめでパイプカットした、というワイドショーのトピックスを見ていて、麻子は急に俺にもその話をふってきたのである。

ちらっとテレビ画面を見ると、見慣れた顔の芸能リポーターが、「パイプカット芸能人一覧」というフリップを手に、なにやら解説していた。

「俺は芸能人じゃないからいいんだ」

自分でも筋道の立っていない受け答えだとわかっていたが、吐き捨てるようにそう言って、麻子のそばを離れた。だいたい、麻子だって浮気してるじゃないか。テレビのまえを横切って、窓辺に立つ。なんだか悲しくなってしまった。

そうだ、浮気者は麻子のほうだ。俺が、声をかけてくる子にちょっと愛想よく応対しただけで怒るくせに、自分はあろうことか、この家に堂々とほかの男を招き入れたりする。俺と住んでるこの家に、だぞ？

俺の受けた衝撃を、ちょっとは慮《おもんぱか》ってもらいたいもんだ。麻子が最初に男をつれこんだ夜は、ショックのあまり、飯も喉《のど》を通らなかったぞ。翌朝には腹が減りまくってたから、いつもどおり食ったけど。

驚きあきれてものも言えない俺のまえで、麻子はあの男と平気でいちゃつくし。あの男……、なんていったっけ？　そうだ、米倉健吾《よねくらけんご》だ。くそ、思い出すだけでむかつく。ぼやけたツラしやがって。麻子もあんな男のどこがいいんだ。俺のほうが足も速いし、タフだし、毛だってふさふさしてるのに。米倉、あいつは絶対にはげるぞ。いまだって、前髪で隠してるけどたぶん順調に額が後退中だと俺はにらんでる。麻子は気づいてるのかなあ、そういうことに。

とにかく、米倉のやつももうちょっと遠慮ってもんを知るべきだ。麻子に俺という男がちゃんといるのを知っていながら、何度も家にあがりこみやがって。まあ、麻子はすごくいい女だからな。誘われたら拒めないってのは、同じ男としてわかるけれど。それにしてもずうずうしいだろ、米倉！

二人してベッドに入っちゃって、俺はリビングで何度毛布を涙で濡《ぬ》らしたかわからない。お願いだから俺の心を試すのはやめてくれ。何度そう叫んだかわからない。俺の繊細なハートはずたぼろだ。

でもいまはもう、できるだけ黙認することに決めている。

麻子の一番は俺だ、ということがわかったからだ。ざまあみろ、米倉。鈍感なおまえは気づいてないようだが、麻子にとって、おまえは所詮《しょせん》遊びにすぎないのだ。

腹立たしいことに米倉が、肌をつやつやさせて帰っていったある朝、

「そんなに怒らないで、春太」

と麻子は言って、リビングでふて寝していた俺をそっと抱き寄せた。

「春太は私のなかで、ほかのひとと比べることなんてできない存在なんだから」

「ホントか？　比べようもないほど、俺のこと大事か？」

「大好きだよ、春太」

ああ、麻子！　俺もだ。俺も麻子のことが大好きだ。

麻子が真実愛してるのは俺だけだというなら、それでいいんだ。俺は麻子のその言葉を信じるし、たまに麻子が毛色の変わった男をつまみぐいしたって、広い心で大目に見る。だってしょうがないよな、愛してるんだもん。愛してるから、なんでも許せちゃうんだもん。俺ってけなげだ。

あ、またはなびらが風に流れた。庭の桜は満開だ。

「春なんだなあ」

俺は物憂《ものう》い思いをふりはらった。今日は米倉という邪魔者もいない。麻子が部屋の掃除をしないときは、やつは来ないということなのだ。せっかく麻子とべったり一緒にいられるのに、うだうだ考えてちゃもったいない。

「俺、一年のうちで春が一番好き。麻子と会えたのも春だったし」

そう言って振り返ったら、麻子も窓辺に来た。俺の隣に立って、黙って庭を眺める。麻子が俺との出会いの光景を思い出しているのがわかる。たまに、麻子がなにを考え、なにを感じてるのか、こわいぐらいに伝わってくるときがある。

そういうとき、俺はとても幸せだ。

麻子が、道でへたりこんでた俺に声をかけてくれたのは、三年前の春だった。今日みたいに日差しがあたたかくて、町のあちこちで桜が咲いていた。

「どうしたの、こんなところで」

麻子はためらいなく道ばたにしゃがんで、俺の顔をのぞきこんできた。「おなか減ってるの？」

ずっと歩きづめで、何日もまともに飯も睡眠もとってなかった俺は、返事をする気力もなかった。だけど麻子の目があんまりやさしかったから、無視するのも悪いと思って、なんとか「うん」と声を振り絞ったんだ。

「そっか。じゃ、うち来る？」

耳を疑ったね。おいおい、そんなに警戒心がなくていいのかよ。たしかにいまは疲労と空腹でグロッキー状態ではあるが、俺は一応オトコノコなんだぞ、と。

いま思うと、麻子がなんのためらいもなく男を家に上げるのは、性癖みたいなもんなんだな。麻子はやさしいから、困ってるやつを放っておけないんだろう。きっと米倉のやつも、道で行き倒れていたのにちがいない。

俺はともかく、米倉のことなんか拾ってやらなくてよかったのになあ。情が深すぎるのも考えものだ。でもそれが麻子のいいところだ。

麻子は初対面の俺に、「ほら」と手をさしだした。どうしよう、いいのかな、と俺が迷っていたら、

「行くとこないんでしょ」

と微笑《ほほえ》んで、先に立って歩きだした。数歩行ったところでこっちを振り向き、「おいで」と手招きする。

風が吹いて、麻子のとてもいいにおいが俺の鼻先をくすぐった。日向《ひなた》に咲いてるタンポポみたいな、乾いて甘いにおいだ。たのもしくてぬくもりのあるにおいだ。

それで俺は、麻子についていってみることに決めたんだ。

麻子はこぢんまりとした一軒家に、一人で住んでいた。

「両親は死んじゃって、ここには私しかいないの。だから、いつまででもいたいだけいていいよ」

と麻子は言った。

麻子の両親は微笑みを浮かべ、スナップ写真となってリビングのチェストのなかにしまわれていた。麻子はチェストから物を探すついでに、たまにその写真を取りだして眺めることがあった。

ほんの短いあいだだけだ。写真はすぐにもとどおりにしまわれる。

それ以外に、家のどこにも麻子の両親の痕跡《こんせき》はなかった。生前に使っていた食器も服も、気配すらも。

麻子は本当に一人ぼっちで暮らしていたようなのだった。

小さな庭もあるし、麻子はうまい飯を食わせてくれるし、ときどき一緒に風呂《ふろ》に入ってくれたりもしたから、俺はおおいにその家が気に入った。一カ月ほど経《た》つと、家よりなにより、麻子のことをすごく好きになっちゃって、もうどこにも行きたくなくなっていた。

だから麻子が、

「ここにずっといることにする？」

と、さりげなく尋ねてくれたとき、俺はとっても嬉《うれ》しかった。

「そうだな、そうしようかな」

「じゃあ、名前が必要だね」

「あんたが好きなように呼んでくれてかまわない」

「うーん」

麻子は少し考え、「春太。春太っていうのはどう？」

と言った。

「悪くない」

と俺は答えた。

ホントはその名前をすごく気に入ったんだけど、「悪くない」なんて答えちゃって、
俺もあのころはまだ青かったよな。うんうん。

それから麻子と俺は、ずっと仲良く暮らしてるのだ。

「きれいだねえ」

と、庭を見ながら麻子が言った。

「きれいだなあ」

と、俺は麻子の横顔を見ながら言った。ほれぼれするぜ、麻子。三年経っても見飽きないどころか、どんどんきれいだと思うことが増えたぐらいだ。

なんだって、麻子がしたいようにすればいいよ。あ、パイプカットはごめんこうむりたいけど。それ以外は、なんでも麻子の思うとおりにすればいい。ほかの男を家に呼ぶのも、俺がべつの女の子と仲良くするのを怒るのも、すべて麻子の思いのままだ。何度でも俺を裏切り、試すといい。

どうされたって、俺が麻子を好きだということは変わらないんだから。

麻子は家でデザインの仕事をする。そのあいだは、俺も気をつかっておとなしくしている。

なにをデザインしてるのかはよく知らない。

「だって春太、見せるとすごく興奮するんだもん」

と恥ずかしがって、できあがったものをちゃんと見せてくれないからだ。なんだよ、麻子のケチ。きれいなものを見て、興奮しないほうがおかしいんだ。

いままで見せてもらったいくつかの仕事や、状況から推察するに、麻子がデザインしているのは、たぶん主に本だろう。

二階にある麻子の仕事部屋には、資料の本や雑誌がいっぱい並んでいる。埃《ほこり》っぽい紙のにおいが、俺はけっこう好きだ。落ちつく感じがする。

麻子はそのなかに埋もれるようにして、ほぼ毎日パソコンに向かう。たまに、自分の手でなにか切ったり貼《は》ったり絵を描いたり、カメラを持って写真を撮りにでかけたりもする。

麻子はものを作るのが好きなのだ。

「麻子、そろそろ飯にしないか？」

と戸口から部屋をのぞいて、

「あら春太。もうおなか減ったの？」

とこっちを振り向いてくれたときは、仕事が順調に進んでる証拠だ。でも、俺が階段を上って戸口まで行くか行かないかのうちに、

「春太うるさい。暑苦しい」

と、いわれなき中傷の言葉を浴びせかけられたときは、できるだけすみやかに退散したほうがいい。寝起きの麻子と、仕事の締め切りが迫った麻子は、この世で一番危険な猛獣なのだ。君子危うきに近寄らず、だ。

でもどんなに忙しくても、麻子は夕方には必ず作業を一時中断し、俺と町内をぶら

ぶら散歩してから、飯を食う。

「俺のことは放っておいてくれていいんだぜ」

と言っても、

「あんまり時間が取れなくて悪いけど、ご飯ぐらいは一緒に食べようね」

と笑う。

ああもうなんてよくできた子なんだろうなあホントに俺は果報者だよ。感動と恋心が高まりすぎて、なんだか孫を誉《ほ》めるジイサマみたいな心境にまでなっちゃう俺なのであった。

昨日は一日、麻子は猛獣モードで仕事部屋に籠《こ》もっていたんだけど、夜になって突然、足音も荒くリビングに降りてきた。

「どうしよう！　春太、今日何曜日だっけ？」

「えー？」

俺はそろそろ寝床に入ろうかなと思ってたところだったから、あんまり頭がまわってなかった。「金曜だろ」

「ぎゃー、金曜日！　ということは明日は土曜。どうしよう！」

麻子は大急ぎでリビングを掃除しはじめた。俺を追い立て、夜なのにもかかわらず掃除機をかける。

　俺は掃除機の音が苦手なのだ。雷に似ていて、聞いてるとなんだか震えがくる。

　そのときも、毛布をかぶってしまいたかったのだが、麻子にかっこわるい姿を見せたくないから我慢した。

　やめてくれないかなあ、と願いながら、

「おい、近所迷惑だろ」

　と言っても、麻子は耳を貸さず、

「まにあわない、まにあわない」

　念仏みたいにつぶやいて、鬼気迫る形相だ。

　こういう状態の麻子に逆らっちゃいけない。まあいいや、もう夜もかなりあたたかくなってきたし、ひとまず玄関に避難しよう。そう思って場所を移したら、麻子が後を追うようにやってきて、今度は玄関も磨きたてる。そのあたりで、ようやく俺もぴんときた。

　米倉だ。米倉が来やがるのだな。

　いまいましい。あんなやつ、この家の敷居をまたげるだけでも、随喜《ずいき》の涙を流して五体投地しろって感じなのに、掃除までして出迎えてやることなんかないんだ。

俺はむっつり黙りこんで、麻子のすることを見ていた。玄関をきれいにし、便所掃除に移行していた麻子は、俺の不機嫌オーラにも気づかず言った。

「ねえ春太ぁ。明日の夕方、米倉くんが来るのよ」

「あっそ。ふうん」

「夕飯を作るから、一緒に食べようって言っちゃってさ」

「なんでそんなこと言うんだよ！　麻子、あいつになんか弱みでも握られてんのか？」

そうだとしても、安心していいぞ麻子。米倉なんざ、俺がその気になりゃ一撃でオダブツにできるからな。

「どうしよう、まだ買い出しにも行ってないよ」

「カップラーメンでも食わせとけば」

「明日スーパーが開いたら、すぐ行くしかないか……。でもそうなると、仕事の進行がちょっと押しちゃうし」

麻子はぶつぶつ言い、便所ブラシを片手に勢いよく俺を振り返った。「春太！」

「なんだよ」

「あなた明日、米倉くんが来たら、少しお相手してて」

「なんで俺が。やだよ」

「そのあいだに、ちゃちゃっと仕事をやっつけて、それから夕飯作りに取りかかるから」

「ちょっと麻子！」

「頼んだからね」

麻子はもう聞いちゃあいなかった。目に触れる場所の掃除を終わらせ、さっさと二階へ上がっていく。

あまりにも残酷じゃないか。細かいことを気にしないおおらかさは、麻子の数多い美点のひとつだが、無神経にもほどがあるぞ。俺は米倉と同じ空気を吸うだけで、なんかちょっと腹具合が悪くなるほどだってのに。

そんなこんなで夜が明けたんだが、今朝の麻子は目の下にクマを作ってた。きっと夜じゅう仕事してたんだろう。そんな無理をするぐらいなら、米倉に来る時間を少し遅らせるよう言えばいいのにと思ったけど、猛獣モードの麻子に意見などしてはいけない。俺はそれを経験から学んでいた。

夕方と言われて四時にやってきた米倉は、

「いらっしゃい、米倉くん」

と麻子に笑顔で応対された。シャワーを浴びて化粧もしたから、クマはもうあんまり目立たない。

「ちょっと早く来すぎたかな」

と米倉は言った。

「まったくだ。ていうか、来んな」

と俺は言った。

「ううん、全然大丈夫。だけどごめん、ちょっとだけ待ってて。区切りをつけとかなきゃいけない仕事が、一個だけ残ってるの。すぐ終わるから」

「忙しいようだったら、出直すけど……」

米倉は心配そうに麻子を見た。

「よし、よく言った。帰れ」

「さっきからうるさいよ、春太」

と、麻子は怒って俺の背中をはたいた。なんだよ麻子、俺は麻子のためを思って、このニブチンに言ってやってるってのに。

「あがって。お茶飲みながら、テレビでも見ててね」

「あ、おかまいなく」

ホントにおかまいすることないぞ、麻子。だけど麻子は、米倉に丁寧に茶とクッキーを出し、それからすまなそうに謝って、二階へ上がっていった。上がるまえに、台所で俺に、俺専用のクッキーをくれたがな。ふっふっ。米倉、おまえはこの特別なクッキーを麻子からもらったことあるまい。うまいんだぞ、これ。

そういうわけで、俺はいまリビングに米倉といる。本当は一緒の部屋にいたくないが、麻子にクッキーまでもらって「おねがい」されちゃ、しかたがない。

米倉はちんまりとソファに座り、俺はそんな米倉に背を向けて床に寝そべり、テレビを見るふりをしている。いやだいやだ、空気が重い。麻子、早く降りてきてくれないかな。

なにやらごそごそしていた米倉が、

「春太」

と、おずおずと呼びかけてきた。

「おまえごときが呼び捨てにすんな」

「おみやげがあるんだ」

なに、みやげ？

「めずらしく気のきいたことするじゃないか。なんだよ」

俺は首だけ上げて米倉のほうを見た。米倉が持っているのは、おお、ガムじゃないか！　しかもこの香り。俺の好きなメーカーのだ。

だけど、がっつくのはしたないからな。俺はまたもとどおり寝そべった。米倉はためらっているようだったが、やがてソファから立って、しずしずと俺の近くに来た。床に膝をつき、「はい」と俺の顔のまえにガムを差しだす。

あ、そう？　まあ、くれるっつうなら、もらっとくけど。

俺はガムを受け取り、これが米倉の骨だったらいいのになあ、こうしてやるのに、と思いながらガリガリ嚙《か》んだ。うまい。やっぱりガムはこれに限るぜ。わりとものの わかるやつじゃないか、米倉。

米倉はそのまま、俺のそばに座りこんだ。

「なんだよ、見てんなよ」

「きみはかっこいいね」

米倉は静かな声で言った。「大きくて堂々としてるし、毛なんか金色でつやつやだし、足はたくましく、腹はひきしまってる。麻子さんに大事にされてるんだね」

「まあな。しょぼくれたおまえとはちがう。俺の毛は毎日、麻子がとかしてくれるんだぜ。すっごく気持ちいいの。おまえはやってもらったことないだろ」

「そしてきみも、麻子さんにとても忠実だ。いつもそばにいて、ちゃんと彼女を守ってるもんなあ」

「そんなの当然だ。俺は麻子にラブだからな」

そう言ってやったら、米倉はため息をついた。

むむ？　能天気なところが、この冴《さ》えない男の数少ない取り柄といっちゃあ取り柄なのに。今日の米倉は、ちょっといつもと様子がちがうみたいだ。

俺はガムを噛むのをやめて、身を起こした。

「さてはおまえ、うちひしがれてるんだな。俺の魅力にはかないっこないってことを、ようやく悟ったか？」

「麻子さんは、俺のことなんて言ってる？」

「遊びだって言ってるよ」

いや、麻子はやさしいから、はっきりそう言ったわけじゃないけどな。

「このごろ思うんだ。麻子さんはなんでもできる。仕事もばりばりこなして、この家だって一人できちんと管理して。きみというパートナーもいる」

米倉はまたため息をついた。「俺は麻子さんの支えになれてるんだろうか。今日だって無理させちゃったみたいだし」

「あのなあ」

俺が背筋をのばして座ると、背中を丸めて悄然《しょうぜん》と座っている米倉と、目線の位置がほぼ同じになる。「はっきり言って、おまえなんて麻子のクソの役にも立ってない。だけど、麻子はおまえを家に呼ぶんだ。それでいいだろ。光栄に思っておけよ」

米倉が顔をあげた。

「慰めてくれてるのかい？」

「いきなり究極のポジティブシンキングをかますやつだな」

俺は気まずくなって視線をそらした。「どうせ一時の栄誉なんだから、くだくだ考えんなって言ってるんだ」

米倉は俺の背にそっと手をのばした。

「触っていいかな」

「もう触ってるじゃねえか」

「麻子さんって、ふだんはどんな感じ？」

「そんなのおまえに教えない」

すげなく言っても、米倉はこたえたようでもなく、うっとりと視線を宙にさまよわせる。

「しっかり者だし、やさしくて明るいし、きれい好きだし。きみは幸せだねえ」

待て待て待て。米倉、おまえそれ、けっこうドリーム入ってるぞ。

たしかに俺は麻子といて幸せだ。だけどなあ、麻子はかなり粗忽者《そこつもの》だし、猛獣モードのときは俺でも手に負えないほどの狂犬になるし、しょっちゅう「仕事がうまくいかない」ってドヨーンとするし、さらに言うと、整理整頓《せいとん》とは無縁の女だぞ。

でも、それは秘密だ。麻子と俺だけが知っていればいい秘密なのだ。

その夜、麻子はナスの中華蒸しと春雨サラダと卵スープとギョーザを作った。うまそうなにおいだなあ。しかし麻子、ギョーザってどうなんだ。

いや、俺はいいよ？　麻子がニンニクくさくても。でもふつうの女の子は、男に食わせる手料理にギョーザは選ばないもんだと思うぞ。ま、それだけ米倉が「どうでもいいやつ」だってことだな。

気づけ、米倉。「あんたにはニンニク程度がお似合い」という麻子のアッピールに気づけ。

しかし米倉は、リビングのテーブルで嬉しそうに、ギョーザ作製にいそしんでいる。満月みたいな皮で、ニンニクたっぷりの具を包んでいる。台所で蒸し器の準備をする麻子が、米倉に手伝いを頼んだのだ。

「おまえさ。麻子に、『あんたのことなんて、なんとも思ってない』って遠回しに言われてるんだぞ?」

米倉の手もとをのぞきながら、そう教えてやった。いきなりふられたんじゃ、ショックがでかいだろうからな。ちょっとした俺の気づかいだ。

「あ、だめだよ春太。これはまだ生だ」

それなのに米倉は、見当違いのことを言って俺を腕で押しやった。そのあいだも、椀《わん》に入った水で指先を湿らせて、皮の口を閉じるのに夢中だ。

「麻子さん、俺がギョーザが好きだって言ったの、覚えててくれたんだな……」

だめだ、こいつは。頭に花が咲いてやがる。ま、そのうち真実に気づくだろうから、ほうっておこう。

麻子と俺と米倉は、庭の桜を見ながらリビングで飯を食った。

麻子は俺のために、スペシャルな飯を用意してくれていた。「牛肉の角切り缶」だ。

麻子はめったに食わせてくれないが、俺はこれが大好物なのだ。

米倉よ、おまえはニンニクを食っておけ。俺は牛肉だ。これが愛の差というものだ。

「桜もこの週末で終わりだね」

米倉が帰っていったあと、麻子はソファに腰かけて、ささやき声でそう言った。

「また来年咲くさ」

いつものように麻子の膝に顎をのせ、目を閉じる。麻子が俺の頭をなでてくれる。ゆっくりと、眠りの世界に誘うように。


俺の趣味は散歩である。

もちろん、麻子と行くのだ。朝と晩、俺たちはいろいろしゃべりながら道を歩く。天気がよくて、麻子に時間があるときは、近所の大きな公園まで足をのばしたりもする。ここには広場があって、だれでも自由に走ったり転がったりして遊ぶことができるんだ。麻子はあまり走るのが得意じゃないらしく、俺が遊ぶのを笑いながら眺めていることがほとんどだ。

思いきり体を動かすのは気持ちいいが、公園に来ると社交が大変だ。

言い寄ってくる女には、

「俺はもう、運命の相手と出会っちゃったんだよ。悪いな」

と、失礼にならないように、でもきっぱりと断りを入れなきゃならない。やきもちやきの麻子が見張ってるしな。いやいや、見張ってなくても、もちろん断るけど。俺は貞節という言葉の意味をよく知っている男なのだ。

女だけじゃなく、ガキや年寄りもなんでだか俺に寄ってくるんだよなあ。こいつらは、俺が急に動いたりするとびっくりして転んだりするかもしれないから、気が抜けないのだ。

「かわいいねえ」とか「立派だねえ」とか言うのに、「まあな」とか「鍛えてるもんで」とか適当に答えながら、俺はじっとしている。

モテすぎるってのも、なかなかつらいもんだぜ。

俺は頭脳派の一面もあるから、散歩のあいだにいろいろ情報収集もしている。町のにおいに変化がないか気を配ったり、落ちてるもんを点検したりして、麻子に危険が迫るような事態がどこかで起きてないか、毎日チェックする。

夕方まで降っていた雨も、いまはあがった。湿った夜のアスファルトのにおいを、俺は胸いっぱいに吸いこむ。

うむ、今日もこの町は平和なようだ。

夜の散歩は特に、俺が好きな時間だ。ひとも車もあまり通らないから、世界に麻子と俺しかいないような、いい気分になれる。

楽しいなあ。麻子と歩くと、そこがたとえ見慣れた道であっても、俺はいつもわくわくしてくるよ。

ところが今夜の麻子は、なんだか沈んでいるようなのだ。

「見ろよ、麻子。吐く息が白いぞ」

と話しかけても、伏し目がちに歩を進めるばかりだ。

「……なんかあったのか？」

麻子は今日、めずらしくどこかへでかけていった。俺は快く麻子を送りだしてやり、留守番していた。麻子が俺をすごく頼りにしていて、俺がいるから安心して外出できるんだってことを、ちゃんと知ってるからな。

夕方に帰ってきた麻子からは、米倉のにおいがした。あいつと会ってきたというのは気に入らないが、まあ、たまにはデートという餌《えさ》を与えてやるのもいいだろう。米倉からは、このあいだガムをもらったことだしな。

俺なんか、日に二回も麻子とデートしてるわけだから、そのへんについては寛大な心を見せとくことにした。

そんなことより気になったのは、帰ってきた麻子が、ちょっと元気がないように見えたことだった。いつもと変わらず、「春太、散歩に行こうか」と声をかけてきたから、気のせいかと思っていたんだけど、やっぱり様子がおかしい。

「なにか心配事か？」

俺は、ちょっと遅れてついてくる麻子を振り返った。「夜道でも危なくないぞ。暴漢が襲ってきたら、俺が撃退してやるから」

麻子は黙っている。俺はどうしたらいいのかわからなくなった。麻子がなにかを悩んでいる。だけど、その原因が伝わってこない。

散歩ルートの途中にある、小さな児童公園に入った。街灯に照らされた、ジャングルジムとすべり台。夜の公園では、遊具までがなんだかさびしそうだ。

桜はもう、すべて散ってしまった。

麻子はベンチに座った。俺は麻子のまえに立って、麻子が悩みを打ち明けてくれるのを待った。

「また寒さが戻ってきたね。春は天気が不安定だから」

「うん。でもそれもそろそろ終わりだ。葉っぱがいっせいに芽吹く気配がしてる」

俺は鼻をひくつかせてみせた。そんな俺の顔を見ていた麻子の頬に、突然涙がころがりおちた。

「どどど、どうしたんだ麻子！」

俺はびっくりしてしまった。麻子が泣くなんて、これまでなかったことだ。

「どっか痛いのか？　米倉のやつになんか言われたのか？」

俺が必死になだめても、麻子はうつむいて身を震わせている。俺は麻子の膝に両手を置き、のびあがってそっと涙をなめた。途方に暮れている麻子の心が凝縮した、しょっぱい味がする。

「どうしよう。どう答えたらいいだろう」

と麻子はつぶやいた。

「泣くなよ、麻子。俺がいるじゃないか。な？」

麻子の両腕が、ぎゅっと俺の背にまわされる。抱きしめられて、俺も麻子の首筋に頬をすりよせた。

ほら、麻子。こうやってくっついてると、ぬくもってくるだろう。泣くことなんかないんだ。俺がそばにいる。俺はいつだって麻子のことを考えてるし、思っている。だから笑っていてくれよ。

麻子の心臓は、俺のものよりずっとゆるやかに鼓動を刻む。命の速度がちがうからだ。俺はせつない。そして悲しい。麻子の悲しみを感じるのに、できることはあまりに少ない。

米倉め。麻子になにを質問したか知らんが、今度家に来たら、俺がぎったんぎったんのめためたにしてやる。

その日、俺は朝から調子が悪かった。

なんだかむかむかして、腹が痛い。風邪かなあ、まあ寝てれば治るだろう。

児童公園で静かに泣いた麻子は、翌朝にはもういつもどおりだった。元気に仕事し、一人で笑ったり怒ったり騒がしい。だけど、チェストから頻繁に親の写真を取りだして眺めたり、たまにどこかに電話しようとしては、ため息をついてやめてしまったりするのを、俺はちゃんと知っていた。

うーむ。やっぱりいまは寝てる場合じゃないぞ。俺のチャームで、麻子の心を少しでもやわらげてあげなくては。

そう思うのだが、体が言うことをきかない。いてえよぅ。腹のなかが嵐《あらし》みたいに荒れ狂っている。

昼飯を食いに一階に降りてきた麻子が、リビングでへばっている俺を見て、

「どうしたの春太！」

と叫んだ。

麻子に心配かけちゃいけない。

「どうもしやしねえよ」

と起きようとしたが、足がふらついてしまってだめだった。麻子がかけよってきて、俺の体をあちこち触る。

「苦しいの？　どこがどう痛い？」

「腹がちょっと……」

「獣医さんに行かなきゃ！」

麻子は毛布で俺をくるみ、抱きあげようとした。

「だめだ、麻子。やめてくれ」

座り仕事をしているせいで、麻子は腰が悪い。よく、「あー、腰が痛い」とリビングの床にのびてうなっていて、俺が乗って足踏みしてやると、「気持ちいい」と喜ぶのだ。

自慢じゃないが、堂々たる体躯《たいく》の筋肉質な俺は重い。そんな俺を抱えたりしたら、麻子がまた腰をいためてしまう。

それに、抱えたとして、どうやって医者のところまで行くつもりだ？　麻子、車を持ってないだろ。俺は頑健だから、医者に行くのは注射のときぐらいだが、歩いて二十分以上かかったはずだ。あの道のりは、遠くていやなもんだぞ。ごねると麻子が怒るから、俺はおとなしく言うことを聞いていたけど。痛くてこわい注射のために、なんでわざわざこっちから出向かなきゃならないんだと、いつも憂鬱《ゆううつ》だった。

いや、いまは注射の話じゃなかったな。とにかく、あんないやな道のりを、腰の悪い麻子に運んでもらったとなったら、男の沽券《こけん》にかかわる。

「大丈夫だから、無理すんな」

俺は身をよじって麻子の腕から逃れた。なおも俺を持ちあげようと奮闘する麻子の手を、ちょっとなめる。

「じっとしてれば、すぐ治る」

「春太、春太、しっかりして」

麻子は半べそをかいて、俺の体をさすった。俺ってば、麻子にすっごく愛されてるなあ。ああ、幸せだ。

「いまなら笑って死ねる自信があるぜ……」

重いまぶたをなんとか片方だけこじ開け、麻子に向かってそう言った。ふっ、きまった。

麻子は俺にすがりつき、「死んじゃやだよ、春太ぁ」と、とうとう泣きだした。いけないいけない。大事な麻子を泣かせてどうする。しかしもう、どうにもこうにも腹の痛みが尋常じゃない。

もしや俺、本当にこのまま死ぬのか？　くそ。なにやら悩みがあるらしい麻子を置いて、のんびり死んでる場合じゃないってのに。

玄関チャイムが鳴った。間延びした音がリビングに響く。麻子は最初、無視していたが、あんまりしつこく何度も鳴るもんだから、

「ちょっと待ってて。すぐ戻るから。動いちゃだめだよ」

と言って、玄関に走っていった。

「はい、どなた！」

喧嘩腰《けんかごし》の麻子の声が聞こえる。そういう態度はよくないぞ、麻子。回覧板を持ってきたお隣の沢木《さわき》さんかもしれないじゃないか。ご近所づきあいは大切にしないと……。

「米倉くん！」

と麻子は言った。なに、米倉だと？　ええい、いまさらどのツラ下げて来やがったのだ。俺は渾身《こんしん》の力をこめて立った。追い返してやらないとならん。

麻子がドアを開けたらしく、米倉の声も聞こえるようになった。

「突然ごめん。あの俺、このあいだはちょっと急ぎすぎたと思って……」

「いまそれどころじゃないの！」

麻子は米倉の言葉を途中でさえぎった。「春太が、春太が……」

「春太がどうかしたの?」

麻子と米倉の足音が近づいてくる。まずいぞ、麻子。このリビング、荒れ放題だぞ。こんなの米倉のやつに見せちゃっていいのか。いかんだろ、麻子。

リビングの入り口で、米倉の侵入を断固阻止しようと思ったのだが、足がうまく動かないばかりか、ついに立ってもいられなくなり、へなへなと横倒しになってしまった。ちょうどそれを目撃した麻子が、短い悲鳴をあげて俺のそばに走ってきた。

「春太!」

「医者に運ぼう。外回りの途中で寄ったんだ。表に営業車を停めてあるから」

米倉は、ふだんのヌボーッとした風情《ふぜい》からは想像もつかないほど、てきぱきと動いた。俺を毛布でくるみ直し、楽々と両腕に抱える。

なんたる不覚。なんという屈辱。米倉めの世話になってしまうとは。

だが抗《あらが》いようもない。後部座席に乗せられた俺は、麻子に背中をなでられながら、米倉の運転で病院まで運ばれるしかなかったのだった。


あー、嘘《うそ》のように快復した。

医者で薬を飲まされた俺は、出すモノ出して、腹はすっきり気分は爽快《そうかい》になった。

「拾い食いだなんて！」

麻子はおかんむりだ。「恥ずかしいったらありゃしない。いじきたないんだから、春太は」

面目ない。

「まあまあ、たいしたことなくてよかったよ」

わかったように言うな。米倉、おまえまさか、ちょっと俺に恩を売ったからって、いい気になってんじゃないだろうな。

麻子と俺を病院から家まで送りとどけた米倉は、一目散に会社へ戻っていった。そしてまた夜に、様子を見にきたというわけだ。来なくていいのに。

「ほら、春太。照れてないで、米倉くんにちゃんとお礼を言って」

麻子は軽い足取りで台所へ消えた。飯がまだだという米倉のために、なにか作ってやるのだろう。来るなら、せめて食ってからにしろよなあ。本当にずうずうしいやつだぜ。

米倉は、リビングの床に散らばった雑誌やら洗濯物やらを遠慮がちに脇《わき》へどかし、自分の座る場所を作った。

「本当によかった」

寝ている俺の背に、米倉が軽く手を置いた。

まあ、なんだ、世話になったのはたしかだし。俺は米倉に目だけ向けた。

「ありがとな」

「きみになにかあったら、麻子さんが悲しむ。拾い食いはもうやめるんだよ」

おまえは一言余計なんだ。まったく。ふいと顔をそむけてやった。

「なあ、春太」

米倉が真剣な声で呼びかけてくる。「俺、結婚したいと思ってる」

「そ。すれば?」

「麻子さんにプロポーズしたんだ」

「なんだと!」

俺は驚いて立ちあがった。米倉がびくっとして、慌《あわ》てて俺から手をひっこめる。

「どうしたんだい、急に」

「どうしたはこっちのセリフだ。結婚したいって、麻子とか。どこをどうしたら、そんなだいそれた野望を抱けるのかが、俺にはわからないね」

あの夜、公園で麻子が泣いてたのは、米倉に難しい質問をされたからじゃなくて、プロポーズの返事に困ってたからだったのだ。迂闊《うかつ》だった。この唐変木《とうへんぼく》が身の程知らずなのはわかっていたが、かくも大胆な所業に及ぶとは予想もしていなかった。油断していた。

俺は米倉のまえを行ったり来たりしながら、こんこんと説教してやった。

「いいか、麻子にとっては、俺が一番なんだよ。もちろん、俺にとっての一番も麻子だ。俺たちは両思いなの。おまえなんかがうろちょろするまえからずっと、いまも、そしてこれからも変わらず、麻子と俺はラブラブなの。よって、おまえごときの入る余地などなし！　わかったか？」

「わかった、トイレだね、春太。まだ腹が痛いのか？　麻子さんを呼ぼうか」

「ちがーう！」

なんという救いがたいアホだろうか。俺は威厳をもって床に座り、米倉を正面からにらみすえた。

「治まったのかい」

「いいや、おさまらねえ。どういうことなのか、じっくり聞かせてもらおうか」

ドスをきかせてそう言うと、米倉は一つ息を吐き、もそもそと脚を組みかえて正座した。

「……正直言うとね。麻子さんからは、まだ返事をもらえていないんだ。俺が急に言いだしたものだから、悩ませちゃったみたいで」

「麻子は、どうやって穏便に断ろうかと悩んでるんだろ。察しろよ」

「俺は、いつまでも待つつもりだ」

「迷惑だ」

「麻子さん以外に、考えられない。今日、きみのことですごく必死になってる麻子さんを見て、ますますそう感じた」

「もうひとつ、よく見たほうがいいもんがあると思うぞ」

俺は顎で、乱雑にちらかったリビングを示した。米倉はしかし、汚い部屋を気にしたようでもない。

「麻子さんはいつも、きみ以外の家族は欲しくないと言っていたよ。ご両親を早くに亡《な》くされたせいかな」

俺への愛が大きいからだと思うがな。

だけど、そうか……、麻子はそんなふうに思ってるのか。馬鹿《ばか》だなあ、麻子。なくすのをこわがって、なにも持たずにいるなんてさ。臆病《おくびょう》な子どもみたいなとこがあるんだから。ま、もちろんそこもかわいいんだけど。

「でも俺は、そういう麻子さんと、ずっと一緒にいたいと思ってる」

米倉は一人で決意を固めている。「年を取って、お互いのシモの世話とかするぐらい長生きして、それで最期《さいご》は『幸せだったね』って言えるような毎日を、一緒に送りたいと思ってるんだ」

「まーたドリームがはじまった」

俺はやれやれと首を振った。俺なんかすでに、毎日麻子にシモの世話をしてもらってるもんね。

「けっこういたたまれないもんだぞ、好きな相手にシモの世話させるのは」

「本気なんだよ、春太。だからきみにも言っておこうと思って。許してくれるだろ、俺が麻子さんと結婚するのを」

寝ぼけてんのか！　許すわけないだろ、このやろう！　俺は米倉に飛びかかった。

「うわ、なんだい春太」

米倉は俺を腹にのせたかっこうで、後ろにひっくりかえる。台所から、湯気の立つ器を持って戻ってきた麻子が、

「こら、春太！」

と言った。「もう、すっかり米倉くんに打ち解けちゃって」

ちがうんだがなあ。

今度はストレスで腹が痛くなりそうだぜ。でもまあ、麻子がうれしそうにしているから、今夜のところはそれでいいとするか。

それから麻子と米倉がどうなったかというと、べつにどうもなってない。当たり前だ。

あいかわらず、米倉は家へやってくる。麻子は部屋を掃除して出迎える。まえよりも訪ねてくる頻度がちょっと高くなったような気もするが、米倉はガムというみやげを持ってくるからな。少しは目こぼししてやろう。

米倉は、麻子といると楽しそうだ。まだ麻子にうんともすんとも答えてもらってないくせに、本当にめでたいやつである。まあいい。おまえは勝手にしろ、米倉。

俺もさすがに、腹痛騒ぎのあと、少し考えたのだ。

どうしたって、俺は麻子よりも先に死んじゃうだろう。つらいことだが、これぱっかりはしかたがない。

だからといって俺は、麻子を愛することをおそれたりしない。命がつづくかぎり、麻子と一緒にいて、麻子を幸せにしてみせる。その自信がある。

だって、俺にとって麻子は最初で最後の、大切な大切な恋人なんだからな。

でも、俺が死んだあと、麻子はどうすればいいんだろう。

俺のことを特別だと言ってくれて、いつだってとても大事にしてくれる麻子。そんな麻子は、俺がいなくなったらきっとひどく悲しむはずだ。

いけないいけない。死んでからだって、俺のことで麻子が悲しむようなことがあっちゃいけないのだ。そんなことは、この俺の大きくて深い愛が許さないのだ。

それで俺は考えた末、名案を思いついた。米倉。あいつを少し認めてやってもいいんじゃないか、と。

米倉は風邪もひかなそうなアホだし、俺よりは長く生きるだろう。それに、米倉が麻子を一番に好きだというのは、どうやらたしかなことのようだ。

麻子と俺の愛は揺るぎないから、米倉の恋心は所詮はむくわれぬものではあるが、まああんなのでも、いざというときにそばにいれば、麻子も少しは心安らかにすごせるかもしれない。

そういうわけで俺はこのごろ、米倉を受け入れてやっているのだ。言うなれば、米倉は麻子を一人にしないための保険だな。なにもガムをくれるからってだけじゃない、深謀遠慮が働いているのである。

今日は麻子と風呂に入った。シャワーをかけてもらって、丁寧にシャンプーされたあと、ドライヤーで乾かされた俺の毛は、我ながらうっとりするほど、ふわふわのぴかぴかだ。

「どうだ、麻子。惚《ほ》れ直すだろ」

「はいはい、座って春太」

麻子の膝のあいだに抱かれるようにして、俺は夢見心地で、ブラシで毛をすかれるに任せる。

ああ、いつまでもこうしていたい。

麻子と俺で、ずっと仲良く暮らしていたい。

でもな、麻子。俺以外にも、麻子のことを一番好きだと思ってるやつがいること、忘れないでいてくれよ。俺がいなくなっても、麻子は絶対に一人なんかじゃないんだ。

それから、ここがすごく重要なんだけど、俺が一番好きだと思い、だれよりも愛してると感じ、いつもいつも幸せを願う相手は、麻子なんだってこと、忘れないでくれ。俺が死んでも、麻子を大切に思ってた俺がいたこと、いつまでだって覚えていてほしいんだ。

そんなのは、まだまだ先のことだけどさ。なんていったって、俺は若くて魅力あふれるモテモテの男だからな。

以上のごとき思いをこめて、麻子を振り仰いでじっと見つめたら、麻子はブラシを持つ手を止め、ちょっと微笑んだ。

「もうすぐ春も終わりだねえ」

と、麻子は言った。リビングの明かりに照らされて、桜の木はみずみずしい緑の葉を、夜に向かって繁《しげ》らせている。

「またすぐ次の春が来るさ」

と俺は言った。

そう、何度でも。麻子が生きて幸せでいるかぎり、何度でもあたたかい春はめぐってくるんだよ。

冬の一等星

たまに、車の後部座席で眠る。

夏は窓を開けたままにするので蚊に刺されるし、冬は毛布にくるまっても爪先《つまさき》が凍えて目が覚める。それでも私は、車のなかで過ごす一晩が好きだ。

寝返りも打てない狭いシートで身を縮めていると、浅い眠りのせいかよく夢を見る。ふだん、私はほとんど夢を見ない。見ているのかもしれないが、覚えていられない。真っ暗に断ち切られた睡眠に比べれば、たとえおぞましい内容であっても、夢を見たというだけで得をした気分になる。

このあいだ、王様の道化《どうけ》が死んだ。

野原での短く激しい戦闘を終え、緑の丘に張られた天幕に戻ると、「余《よ》の道化がいない。余の道化はどこじゃ」と王様が騒いでいた。キジ肉を焼いたランチを出しても、お気に入りの行進曲を奏《かな》でても、王様は納得しない。コックも楽隊も困惑しきっていた。

道化は宮廷の嫌われものだ。

王様をからかうときも卑屈な態度は隠しきれず、あちこちで陰口を盗み聞きしては言いふらす。うまく保身をはかる醜い道化だ。戦に気を取られる王様の隙《すき》をついて、逃げだしたにちがいない。これからまた丘を下りて、野原に戻って道化を探すのは面倒だ。

みんなそう思っているのか、だれも動こうとしない。野原には死体がたくさん転がっているし、道化は大人の腰ぐらいまでしか背丈がないのだ。見つけだすのは難しいだろう。それよりも、早く家に帰って食事をし、水浴びをして眠りたい。王様の癇癪《かんしゃく》が鎮《しず》まることを願っていると、二、三人の兵士が、道化をつれて丘を登ってきた。正確に言うと、道化らしき物体を抱えて。

それが道化だとわかったのは、戦場にはふさわしくない子どものような背丈と、身につけていた赤と金の衣裳《いしょう》のおかげだった。道化の頭は馬に踏まれたらしく右半分が潰《つぶ》れていたし、右腕は肘《ひじ》から下がちぎれてなくなっていた。靴の脱げた左足にいたっては、ただの赤黒い塊で、指があるのかないのかもよくわからない。

泥まみれの道化の死体が、草のうえに置かれた。見開かれた道化の目は、腐った卵白のように濁り、早くも蠅《はえ》がたかりはじめている。王様はあれほど騒いでいたというのに、変わり果てた道化の姿を見たとたん、なにも言わずに首を一振りし、天幕の奥に入っていってしまった。

私は逆に、道化の死体から目が離せなくなった。ちぎれた腕の内部に、黄色いつぶつぶがびっしりと詰まっているのが見えたからだ。オレンジみたいだ。急に喉《のど》の渇きを覚え、まわりにいるものが注意を払っていないのを確認してから、そっと道化の腕を取った。道化の皮膚はひんやりと硬く、むさぼりついた傷口からはたしかにオレンジの味と香りがした。

思う存分、果汁だか体液だか知れぬものをすすり飲んで顔を上げると、道化がじっと私を見ていた。

目を覚ますと車外にはすでに朝が訪れていた。駅へ向かう人々が、足早に道を行く。慌《あわ》てて身を起こして車から飛びだし、マンションの部屋へ帰って出勤の支度をした。寝乱れた髪で、化粧もしていない女が駐車場から走りでるのを見て、なにごとかと思ったひともいたかもしれない。

車のなかには、オレンジの香りが充満していた。ガソリンスタンドの従業員が、車内を掃除するときに、サービスで灰皿に芳香剤を入れたらしい。

文蔵《ぶんぞう》は、芳香剤を断《ことわ》った。私をじっと見たときの道化の目は、文蔵に似ていた気がする。

私は車のなかで眠るのが好きだ。

夢を見られるし、懐《なつ》かしい記憶を呼び起こされるから。

会社で腹の立つことがあったり、いままでの失言の数々を思い出して頭を掻《か》きむしりたくなったりする夜。私はマンションから徒歩三分の距離に借りた駐車場へ向かう。


私が誘拐されたのは、八歳の冬のことだった。

文蔵には、私を誘拐するつもりは毛頭なかったはずだし、私も最後まで誘拐されているとは思っていなかった。だがあの状況を一言で言い表そうとすると、結局はどうしても「誘拐」になってしまう。

後部座席で寝ていた私が、細かな振動に気づいて身を起こすと、車はいつのまにか走りだしていた。車を運転していたのが見知らぬ男だったから、私は声を出せぬほど驚いたが、文蔵も私と同じぐらい驚いていた。

「げえっ」

と文蔵は言った。「なんでガキが乗ってんの。あんたずっとそこにいた?」

「いた」

と私はうなずいた。ちょうど高速に入るところで、文蔵はバックミラーを通して私を見た。

「ちょっとおとなしく座ってて」

ゲートにいた中年男性から、文蔵は「どうもー」と言ってチケットを受け取った。高速は空《す》いていて、文蔵は追い越し車線に入ると、あとはほとんどハンドルを動かさずに、なめらかに運転した。

「まいったねえ。ちっとも気づかなかったよ。どうしたもんかな」

ちっともまいったふうではなく、文蔵は言った。車は西へ向かっているようだった。

「まえに来る?」

と聞かれ、私はまたうなずいた。恐怖はもちろんあったけれど、飛び降りることも、だれかに助けを求めることもできない。それならば、騒いだり泣いたりせずに近くで話したほうが、この得体の知れぬ男の情に訴えられるかもしれない。そう計算したのだ。

「いきなり嚙《か》みついたりしちゃだめだよ。あんたも俺も死んじゃうからね」

と文蔵は笑った。かぶっていた毛布を畳んで後部座席に残し、私はシフトレバーをまたいで助手席に移った。シートベルトをしながら盗み見たところ、文蔵は二十代の半ばぐらいだった。

「名前は？」

と聞かれ、「映子《えいこ》」と答えると、

「俺は文蔵。文章の文に土蔵の蔵」

と文蔵は言った。

「どこへ行くの？」

「大阪。急ぎの用があるんだけど、駅や空港を使うのは、ちょっとまずいんだよね。もっと早く気づいてたら、そのへんの道で適当に降ろしてあげられたんだけど」

「いまからでも、降ろしてくれていいよ」

サービスエリアの標識が窓の外を流れるのを、私は恨めしい思いで眺めた。

「だめー」

と文蔵は言った。「そうしたらあんた、家に電話するでしょ」

「しない。お金持ってないもん」

本当は、ポシェットのなかの財布に三百円ほど入っていた。でも、夜になって父が家に戻るまでは、電話をかけるつもりはなかった。私が車に乗っていたことを、母は知らないのだ。いま電話をして、母に怒られるのはごめんだと思った。

「なんで、車んなかに一人でいたの」

文蔵に聞かれ、私は答えに詰まった。

「お母さんがすぐに戻ってくると思ったから」

「それはわかるけど。ドアのロックもかけてないし、キーは差しっぱなしだし」

文蔵は首をかしげる。「でも、いくらのんきな土地柄で、近所のスーパーだっていっても、子どもが乗ってるわりには不用心すぎない？」

私が黙っていると、文蔵はにやにやした。

「あんた、母親が気がつかないうちに、こっそり後部座席に乗ったんだろう」

「なんでわかったの？」

「俺もガキのころ、よくやったから」

助手席と運転席のあいだにある物入れを左手で探り、文蔵は見つけたガムを口に放りこんだ。あんたも食べなよと、うちの車にあったものなのに、私にも勧めてくる。眠気覚ましのガムはとてもからく感じられて、私は舌を出してヒーヒー言った。文蔵は楽しそうに肩を揺らした。

「だけど、危ないからやめときな」

「なにが？」

「後部座席でのかくれんぼだよ。真夏に車のなかに置き去りにされて死ぬ子どもが、毎年何人もいるぐらいだ」

「いまは冬だもん」

「冬でも危ない。あんたの母親は、迂闊《うかつ》なようだし」

「うかつって？」

「うっかりしてるってこと。車庫のなかでエンジンをかけっぱなしにされてみな。一酸化炭素中毒で死ぬかもしれない」

「おじさんみたいなひとに、車ごと誘拐されるかもしれないしね」

「俺のこと？」

「うん」

「おじさんじゃなくて、文蔵ね」

と文蔵は言った。私たちはしばらく黙った。明かりの灯《とも》りはじめた遠くの町が、防音壁の隙間から一瞬だけ見えた。

「これは誘拐じゃないよ。あんたのことは、必ず家に帰してあげる」

文蔵は静かに言った。「信じる？」

「うん」

「じゃ、休憩しよう」

山のなかの小さなサービスエリアは、数台停まった大型トラックが目を引くぐらいで、ひとけがあまりなく、風景も闇《やみ》に沈んで見ることができなかった。

私はセーターとスカートという恰好《かっこう》で、コートを着ていなかった。車から降りて震えた私に、文蔵は着ていたジャンパーを脱いで手渡した。ためらったけれど、文蔵がそのまますたすたとトイレのほうに歩いていってしまったので、私はジャンパーを着ることにした。

文蔵の服装を、私はちゃんと記憶した。ジーンズに黒いセーター。横顔ばかり見ていたので、服で認識するしかなかったのだ。こんな、どこだかわからない場所で置いてきぼりにされては大変だと思った。

女子トイレにいるひとに助けを求めることも、売店で電話をかけることも、ちらっと考えはした。だが文蔵は、私を信じきっているようだ。サービスエリアでの行動を、制限したり監視したりするそぶりはまったくなかった。

トイレのまえで、煙草《たばこ》を吸いながら文蔵が待ってくれているのを見たとき、心を決めた。もういいと言われるまで、文蔵についていくことにしようと。

私は家に帰りたくなかったのだ。

はじめてちゃんと正面から見た文蔵は、真っ黒な目をしていた。ほかはもうあまり覚えていない。ただ、穏やかで、白目の縁がくっきりと際立《きわだ》つほど黒い目だけが印象に残っている。

私が近づくと、文蔵はすぐに煙草を消した。

「時間ないから、パンでいい？」

「うん」

「悪いけど、親子のふりして」

「うん」

文蔵が父親というのは、ちょっと若すぎるのではないかと思ったが、私はおとなしく手をつないであげた。文蔵の手はとても冷たかった。売店で数種類のパンを選んだ。

本線に戻るまえに、サービスエリアに併設しているガソリンスタンドに寄った。

「レギュラー、満タンで」と文蔵は言った。父の吸い殻が残っていた灰皿を、

「ついでにきれいにしとく？」

と私に確認を取ってから、引き抜いて窓の外の従業員に渡す。文蔵が芳香剤を断ったので、ちょっとがっかりした。人工的な香りを放つオレンジ色の粒が、かわいくて私は好きだったのだ。

私が控えめに不満を述べると、文蔵は洗われた灰皿をもとに戻しながら、

「えー、くさいだけじゃない」

と眉間《みけん》に皺《しわ》を寄せた。

車は再び走りだし、私たちは買ったパンを食べ、お茶を飲んだ。

「大阪になにしに行くの？」

「仕事だよ」

「どんな仕事？」

「あんたはちょっと変わってるね」

少しうるさそうに、文蔵は言った。「ふつうは、家に帰りたいって泣いたり、さっきのサービスエリアで逃げだしたりするもんじゃないかな」

変わってるという言葉に、私は激しく衝撃を受けた。そこではじめて泣きそうになったほどだ。

「お母さんも、よくそう言う」

「そうって？」

「私のこと、変わってるって」

小学校に入った年に、妹ができた。ちょうど父も仕事で忙しく、母は育児疲れで苛《いら》立《だ》っていたのだと思う。私は母に怒られることが多くなった。母には、「授業中によくぼんやりしています」と通信簿に書かれる私が理解できなかったし、私には、母が急に怒鳴ったりぶったりする理由がわからなかった。二歳になる妹は、週に何日か、近くに住む祖母が預かって面倒を見ていた。私がスーパーの駐車場から、車ごと文蔵にさらわれたのは、そういうときだったのだ。

「やっぱり。母親が言うぐらい、あんたは変わってるんだ」

文蔵に笑われて、私はますます泣きたくなった。うつむいて唇を噛んだ私を見て、文蔵はびっくりしたみたいだった。

「なんで泣くの」

うまく説明できずにいると、文蔵はガムを私の膝《ひざ》のうえに載せたり、「もう一個パン食べる？」と聞いたりした。それでも黙っていたら、文蔵は遠慮がちに手をのばして、私の頭をそっと撫《な》でた。とても優しい感触だったから、まぶたが熱くなってとうとう涙がこぼれてしまった。

「どういうところが、変わってるって？」

「授業中に、ボーッとしてるところ」

「そりゃふつうだと思うけどな。俺もボーッとしてるか寝てるか、どっちかだった」

文蔵は手を引っこめ、ハンドルに戻した。私は着たままだったジャンパーの袖口《そでぐち》で、涙を拭《ふ》いた。「鼻水つけるなよ」と文蔵が言った。

「あと私、車に乗るのが好きなの」

「俺も運転はけっこう好きだねえ」

「私は運転できないもん。うしろの席に座って、行きたいところをいろいろ考えるのが楽しい」

「どんなところに行きたい」

「テレビで見たところ。南極とか、ピラミッドとか。でもお母さんは、そんなことばっかり考えるのはやめなさいって言う」

「車では南極にもエジプトにも行けないからな」

「南極に着いたら、ちゃんと犬ぞりになるんだよ」

「犬ぞり。車が」

「そう」

「うーん」

　と文蔵はうなり、また肩を揺らした。笑われても、私はもう悲しい気持ちにはならなかった。文蔵が私の話をちゃんと聞いてくれているのがわかったからだ。

「それから、夢の話をしてもお母さんはいやがる」

「夜に見る夢のこと？」

「うん」

「話してみてよ」

「冷蔵庫を開けて、牛乳を飲むの。何度飲んでも全然減らなくて、最後はおなかいっぱいで苦しくなる」

「それはいい夢じゃない。牛乳を買わなくてすむんだから。なんであんたの母親はいやがんの？」

「お母さんは牛乳がきらいだから」

「そっか」

文蔵は重々しくうなずいた。「思うんだけどね、エイコちゃん。あんたはべつに、変わってないよ」

「でもさっき、変わってるって……」

「たしかに、警戒心ってもんがなくて、かなりボーッとしてるけど」

と言いかけて文蔵は、私が顔をゆがめたのを目の端でとらえたらしい。急いでつけたした。

「いや、俺はいいと思うよ、そういうのも」

「なにそれ。変なの」

私が言うと、

「そうそう、あんたも俺も変なのは一緒」

と文蔵は請けあった。

泣いたせいか急に眠くなり、私はしばらく意識を手放していたらしい。目を開けると車は停まっていて、車内のデジタル時計が「2:33」という数字を青白く浮かびあがらせていた。そんな時間に起きたのははじめてで、なんだかわくわくした。

私が身じろぐと、運転席に座っていた文蔵が、「トイレは大丈夫？」と声をかけてきた。文蔵はそれまでずっと、前方に広がる暗闇を見つめていたようだった。

車はサービスエリアの駐車場の端にあり、その先は柵《さく》ひとつ隔てて、山の斜面だった。下界の一角にあるひときわ明るい街を、文蔵はフロントガラス越しに指し、「大阪だよ」と言った。

トイレには行きたくなかったが、なんだか文蔵を引き止めるべきであるような気がして、時間を稼ぐつもりで外へ出たいと言った。後部座席から取った毛布に二人でくるまり、私たちは斜面に背中を向けてベンチに座った。

「牛乳の夢を見た？」

と文蔵が言った。吐く息が白く漂った。

「なんにも見なかった」

「残念だね」

少したらってから、「文蔵さんは？」と尋ねた。

「なにか夢を見た？」

「寝てないから見ないねえ」

文蔵は手の甲で目もとをこすった。「見てもどうせ、サイテーな夢ばっかりだし」

「どんな？」

毛布のなかに手を戻し、文蔵は言葉を探しているようだった。

「野原を走ってる。小さな花がいっぱい咲いてて、とにかくだだっ広い」

「どうしてそれがサイテーな夢なの」

「花が血の色をしている」

低いつぶやきにびっくりして、隣に座る文蔵を見た。文蔵は私のほうを向いて視線を合わせ、目だけで笑った。

「コンビニに行きたくて走ってるんだよ。なのに野原がなかなか終わらない」

文蔵は立ちあがり、毛布で私をぐるぐる巻きにした。セーターだけなのに身をすくめることもなく、文蔵は駐車場を照らす常夜灯から遠ざかり、夜空を見上げた。

「ほら、ずいぶん星が見える」

毛布の蓑虫《みのむし》みたいな恰好で、私もベンチを下りて文蔵のそばに行った。山のうえの空は、街明かりからも高速道路の光の帯からも隔絶されて、穴のようにただ真っ暗だ。だが文蔵にならって黙って目をこらすと、そこに小さな銀の粒が無数に散らばっているのが見えてくる。

「ほんとだ、すごい」

と私は歓声を上げた。母に叱《しか》られないよう、夜は早くに寝てしまうし、空気のきれいなところへ旅行するような家族でもなかったので、私はたくさんの星など見たことがなかったのだ。

「どんな星座でも見つかりそうだ」

と文蔵は言った。「好きな動物は？」

「うさぎ」

と私が答えると、

「いるよ、ほら」

と文蔵が空へ腕をのばした。ほらと言われても、どれだかわからないほど星はある。

文蔵は腰をかがめて、私と顔の位置を同じにし、丁寧に説明してくれた。

「オリオン座は知ってる？」

「知らない」

「じゃ、この指の先あたりを見て。三つ並んだ星があるでしょ」

「あった」

「そっからずーっと下りて、四つ星があるのはわかる？」

「あれかな。こんな形で並んでる？」

私は文蔵の手を取り、掌《てのひら》に台形を描く。

「そうそう、それがうさぎ座」

「本当に？」

「本当。星占いで有名なやつだけじゃなく、いっぱい星座はある」

「ペンギン座も、スフィンクス座も？」

「なければ作ればいい」

文蔵がくしゃみをしたので、車に戻った。うさぎ座なんて、文蔵がでっちあげた星座じゃないかと思ったけれど、同じ星を見ていたことはたしかだったから、私はそれで満足した。

文蔵とは、高速を下りて少し走ったところにあったファミレスで別れた。朝の四時半で、表はまだ暗かった。私はファミレスでスパゲティを食べ、文蔵は向かいに座ってそれを眺めていた。文蔵はコーヒーしか注文しなかった。

朝食を終えると、ファミレスの駐車場に停めた車に、私だけが乗った。ジャンパーを脱いで返そうとすると、文蔵は首を振った。

「着てていいよ。それはもう、俺にはいらないものだから」

助手席に座った私に、文蔵はさらに毛布もかけ、車のキーを渡した。「三十分経《た》ったら、お店のひとに事情を話して。あとは大人がなんとかしてくれるでしょ」

「わかった」

と私は言った。

「寒いからって、勝手にエンジンかけちゃだめだよ」

「うん」

文蔵はもう一度、毛布が私の首までをちゃんと覆《おお》っているか確認し、

「じゃあね」

と言って助手席のドアを閉めた。文蔵が駐車場を出て、道路を走ってきたオレンジ色のタクシーに乗りこむまでを、私は体をひねって見守った。どこへ行くのか、聞け

なかった。聞かないでくれと、文蔵が願っているのが伝わってきたからだ。一緒に車に乗っているあいだじゅう、ずっと。

それから大騒動になった。

警察が駆けつけ、両親が迎えにきた。母親は私を見るなり抱きしめて大声で泣き、ついで私の頭をひっぱたいた。

「なんて子なの、あんたはもう」

だれになにを聞かれても、私は「わからない」と答えた。名前も知らないし、顔もあんまり見なかった。男だった、ということだけ話した。母からも、婦警さんからも、痛いところはないか、変なことはされなかったかと聞かれた。質問の意図が、当時はつかめなかった。文蔵は変じゃない、と猛然と思ったことだけ、よく覚えている。

ジャンパーは警察が証拠品として押収《おうしゅう》したきり、戻ってこなかった。私に残されたのは記憶だけだった。周囲の大人は、みんな事件に触れないようにしたから、それもだんだん薄れていった。

文蔵はついに捕まることはなかったが、それはたぶん、だれにも捕まえられない場所に文蔵が行ったからだと思う。どう考えてもまっとうではない用件で、文蔵は大阪に向かっていた。

だが文蔵は、小学生の女の子に暴力を振るうような男ではなかった。それどころか、ちゃんと私の話を聞き、私にいろいろ教えてくれた。私は運がよかったのだ。

学校の図書館で、私は図鑑を調べた。うさぎ座は文蔵の言ったとおりの場所に、言ったとおりの形で本当に存在した。じゃあ、文蔵が話した夢の話も本当なんだ、と私は思った。血の色の花が咲く広い野原。

両親は車のキーを厳重に保管した。私が勝手に乗りこめないように。だから私は、週末に家族でスーパーに買いだしに行くときだけ、後部座席で想像した。文蔵の見た野原に、いつかこの車でたどりつきたい、と願いながら。

いまとなっては、あの夜の出来事がまるごと夢みたいに感じられる。

急に現れた男と、西へドライブする。窓の外を流れる暗い景色も、街の明かりも、ひっそりと光を投げかける深夜の売店も、銀の星々も、すべて夢のなかの光景のようだ。

どうして文蔵と同じ星を見ていると信じられたのだろう。それらはあまりにも遠くにあって、触れてたしかめることもできないものなのに。

私は大人になるまでも、大人になってからも、星座を探すような歯がゆさを何度も味わった。「あの星とこの星を結んで」と説明しても、並んで夜空を見上げるひとに、正確に伝わっているのかどうかはわからない。確認する術《すべ》もない。多くのひとが経験したことがあるだろう、歯がゆさだ。

そんなとき私は、文蔵と見た夜空を思い起こす。全天の星が掌に収まったかのように、すべてが伝わりあった瞬間を。あのときの感覚が残っているかぎり、信じようと思える。伝わることはたしかにある、と。

私がたまに車の後部座席で眠るのを、子どもじみた拗《す》ねかただと非難したひとも、勝手にしろと怒ったひともいた。

いまつきあっているひとは、危ないからやめてほしいと言った。

「そんなところで寝て、凍死したり熱中症になったりしたらどうするんだ。車上荒しに、車ごとつれさられるかもしれないし」

文蔵みたいなことを言う。私が笑うと、彼はソファにクッションと毛布を並べた。

「今夜は一緒に寝たくないって言うなら、ほら、ここで我慢して。車の後部座席と似たようなもんでしょ」

「ぜんっぜんちがうよ」

と私が異を唱えると、

「そこは想像力でカバーする」

と彼は言った。

このひとと暮らすのは、けっこう楽しいかもしれないなと思う。思うが、彼が来ない日にこっそり後部座席で寝てみることは、やはりやめられない。

文蔵は、どこへ行くかは言わなかった。

だったら私は、文蔵が戻ってくるのを待ってみよう。いつかきっと、気づいたら車は走っていて、運転席には文蔵が座っているのだ。

私は文蔵に、いろんな話をするだろう。

スフィンクスを見に、実際にエジプトへ行ったことも、後部座席での想像の旅を、未《いま》だにやめられずにいることも。冬の夜空を見上げるたびに、オリオン座の下にあるうさぎ座を探さずにはいられないことも、文蔵の見た夢に似た野原に、私も夢のなかで行ったことも。

話はたくさんある。

だけどなによりも文蔵に伝えたいのは、私を守ってくれてありがとう、ということだ。

文蔵はたぶん、とても昏《くら》い場所へ行こうとしていた。でも、突然まぎれこんだ私を、そこへつれていこうとは決してしなかった。傷つくことがないように細心の注意を払って、私を暗がりから遠ざけた。

信じる？　と文蔵は聞いた。何度聞かれても、私は信じると答えるだろう。それを教えてくれたのは文蔵だ。

細い線をつないで、だれかと夜空にうつくしい絵を描くこと。

八歳の冬の日からずっと、強く輝くものが私の胸のうちに宿っている。夜道を照らす、ほの白い一等星のように。それは冷たいほど遠くから、不思議な引力をまとっていつまでも私を守っている。

永遠につづく手紙の最初の一文

さて困ったことになったのは、岡田勘太郎《おかだかんたろう》と寺島良介《てらしまりょうすけ》の両人だ。

押しても引いても、体育倉庫の扉はいっかな開かない。クラスの出し物で使った跳び箱やらバレーボールのネットやらを片づけているうちに、だれかが鍵《かぎ》を閉めてしまった。

最初はいたずらだろうと思い、

「おい、ふざけんのはよせよ」

「そこにいるんだろ、開けろ」

二人して大声を張りあげ扉を叩《たた》いていたのだが、表からはウンともスンとも応《こた》えがない。どうやら本当に、手違いで閉じこめられたものらしい。

「どうしよう」

「どうしようったって……」

格子《こうし》のはまった明かり取りの窓が、壁の上方にひとつあるきりだ。文化祭の後夜祭を控え、校庭から聞こえるざわめき。日没を待ち、恒例のファイヤーストームとダンスが行われる予定である。

岡田は跳び箱を踏み台に、明かり取りの窓から顔を覗《のぞ》かせてみた。あいにく窓は校庭に面しておらず、だれにも気づいてもらえそうにない。

状況を確認する岡田をよそに、寺島はマットのうえに悄然《しょうぜん》と座ったきりだ。跳び箱から下りた岡田も、しかたなく隣に腰を下ろす。

寺島は大仰《おおぎょう》に嘆息《たんそく》した。

「なんでこんなことになっちゃうかなあ」

「鬱陶《うっとう》しい。すぐ出られんだろ」

「すぐって、いつ」

寺島の顔はあまりにも情けない。岡田は少しからかいたくなった。

「そうだな……、明日は文化祭の振替休日だしな」

「じゃ、明後日《あさって》!?」

「運がよければ。でもいま、体育って持久走がメインだったっけ。用具を使わないから、もしかしたら発見されるまでに、案外時間がかかるかもな」

「どうすんの、死んじゃうよ！」

死なねえよ。

寺島の悲痛な叫びを聞き流し、岡田は制服のポケットに入った携帯電話に手をやった。そのとたん寺島が、

「それに俺、五時に佐代子《さよこ》と校門のとこで待ち合わせしてんのに！」

と言うではないか。岡田はポケットに入れた手を止めた。

「まだつづいてたのか」

「やっと俺の魅力がわかる女と出会えたっつうの？」

寺島は「でへへ」とやにさがる。「今日は藤女《ふじじょ》も文化祭だったろ？　でも、後夜祭はこっちに来てくれるって言うんだ。あー、なのになんで俺、こんなとこにいるわけ？」

肩を落とす寺島に、岡田は慎重に質問した。

「寺島。携帯持ってるか？」

「持ってるように見えるか？」

寺島はピンクのネコの着ぐるみ姿だ。さすがに頭部の被《かぶ》りものは脱いでいる。クラス劇の筋立ては、遭難した男女が襲いかかるジャングルの獣たちを撃退して生還するというものだった。本当はトラの着ぐるみを借りたかったが、ネコしかなかったのである。

「そうだ、岡田は？　おまえは携帯持ってるだろ」

「あいにく教室に置いてきた」

ポケットのなかで、携帯の電源をそっと切った。

「水も食い物もなくて、どれぐらい生きられるもんなのかなあ」

しきりに嘆く寺島を黙らせるため、岡田は倉庫内の棚を形ばかり探ってみることにした。落とし物のはちまきが大量に見つかった。岡田ははちまきを結びあわせていく。寺島は着ぐるみのネコの手なので、そのさまをただ見物した。

はちまきは一本の長い紐《ひも》になった。岡田は再び跳び箱に乗って、それを格子の隙間《すきま》から外へ垂らした。端を握って常に揺らしておくことにする。通りかかるものの目に留まりやすくなるだろう。

二人は並んでマットに座り、しばし黙った。岡田は釣りの要領で小刻みにはちまきを揺らした。寺島は体育座りをし、着ぐるみのもこもこした毛皮に顎《あご》をうずめた。

あたりに早くも夕闇《ゆうやみ》が迫る。岡田ははちまきの端を寺島に預け、立って体育倉庫の電気をつけた。小さな窓から明かりがこぼれても、閉じこめられた二人に気づいて声をかけてくるものはいない。文化祭の熱気を引きずる気配が、遠く届くばかりである。

少しのあいだ期待して耳を澄ませた寺島は、がっかりしたのかまた膝《ひざ》に顎をうずめた。手だけは律儀《りちぎ》に、はちまきを引っ張りつづける。

気のないふうを装《よそお》い岡田は尋ねた。

「なあ、寺島。ここからずっと出られなかったらどうする」

「ずっとって、どれぐらい」

「百日ぐらいかな」

岡田はもちろん冗談で百日と言ったのであるが、寺島は真剣に「死ぬよ」と答えた。

「佐代子に会えなかったら、俺は死ぬ」

そうかそうか、餓死ではなく焦《こ》がれ死ぬのか。残酷な気分がふとこみあげ、寺島の手からはちまきを奪い取って首を絞めてやろうかと岡田は思った。隣を見れば、ネコの着ぐるみを着た寺島のまぬけな姿が目に入る。殺意はたちまちに萎《な》えた。残酷な気分が生じたのは、自分が勝手に傷ついたためであると、岡田はよくわかっていた。

寺島は無論、隣にいる男のなかの嵐《あらし》を知らぬ。

佐代子はさあ、俺と話すのが一番楽しいって言うんだよ。授業中にもしょっちゅうメールが来るし。毎晩電話してくんのは、ちょい勘弁って思うけど。あー、まじで五時になっちゃったら、まずくねえ？　俺、すっぽかしたと思われんじゃん。なんとか佐代子と連絡取れねえかな。なあ、なあ、岡田。

べらべらとしゃべりだす。「うるさい。黙れ」と素っ気なくあしらっても、聞く耳をもたない。

「ていうかさ、ほんとにここで一晩過ごすことになったら、困るよな」

「なにがだ」

岡田は内心動揺したが、寺島は無邪気に両腕を広げて周囲を示した。

「こんなとこで寝るの、寒いと思う」

「マットにでもくるまればいいだろ」

「そうか。ちょっと持ってて」

寺島ははちまきを岡田に渡すと、跳び箱を移動させたりマットを積んだりしはじめた。岡田ははちまきを引きつつ、ネコの扮装《ふんそう》をした男がせかせか立ち働くさまを眺めた。

「はい、できた」

マットと跳び箱で作った巣のまえで、寺島は誇らしげに胸を張った。重ねられたマットの一番うえの一枚は、枕《まくら》よろしく丸められている。開いた窓から吹きこむ風を、跳び箱がでんと構えてさえぎる位置だ。

「これなら安心。ちょっと寝てみろよ」

「なんで。まだ夕方だ」

「いいから試してみろってば」

「おまえが寝りゃあいいだろ」

「俺は毛皮があるから大丈夫」

手を引かれるまま、岡田はマットに横たわる。寺島は脇《わき》に取っておいたマットを岡田にかぶせた。いかんせん重いし汗くさい。

「どうだ？」

寺島はにこにこと岡田を覗きこむ。

「ああ、いいな」

薄暗い天井を見上げ、岡田は答えた。そうだろ、と寺島は満足げだ。女に会いたいと最前まで騒ぎたてたのも忘れ、寝床の出来にすっかり気を取られた模様である。

そのうちまた思い出し、サヨコサヨコと騒ぐにちがいない。こいつはなんでこんなに馬鹿《ばか》なのか。横になったままはちまきを引き、岡田はひそかにため息をつく。

馬鹿な寺島といつもつるんでしまうのはなぜなのか。その理由もまた、岡田はよくわかっていた。

岡田と寺島は同じ団地に住んでいる。小学三年生のとき、寺島は母親とともに引っ越してきた。

寺島はすぐに遊び仲間の輪になじんだ。底抜けに明るく、走るのが異様に速く、顔もまあまずくはなく、決して陰口を言わなかったからだ。勉強はいまと変わらず、あまりできるほうではなかったが、小学生は運動神経のほうを重視するものである。

そういうわけで寺島は、クラスの男子からも女子からも人気を得た。

岡田は勉強も運動もそつなくこなす小学生だったため、最初は新参者の寺島を冷めた視線で観察した。ほかのやつらみたいに、目新しいものにほいほい飛びついたりしない。矜持《きょうじ》と子ども特有の縄張り意識から、寺島がボロを出すのを待っていた。

岡田の誤算は、寺島が本当にいいやつだったことである。

授業中に当てられると、「わかりませんえん！」と堂々と答える。クラスの女子と男子が険悪な雰囲気になると、「あーっ、俺、ケツが痒《かゆ》いかも」と絶妙のタイミングで立ちあがる。教室ではしゃいでいて額を柱でかち割り、そばで見ていた女子がびっくりして泣きだしたときも、寺島はだらだら血を流しながら、「平気平気、落ち着けって」と笑ってみせた。

岡田も認めざるをえなかった。寺島がいるだけで、なんでもない教室や放課後の空き地が、輝く王国に変わるのだ。

寺島は秘密基地を作るのが天才的にうまい。寺島はだれよりも多くザリガニを捕まえることができる。寺島はこっそり熾《おこ》した焚《た》き火に、こっそり盗《と》ってきたサツマイモを投じる。寺島はできた焼き芋を食糧に、冒険に出ようと提案する。

当初の屈託を振り捨て、岡田は寺島と親しくなった。寺島もなぜか、「勘ちゃん、勘ちゃん」と、岡田を一番に慕った。岡田が部屋でゲームをしていても、「遊ぼう」と必ず誘いにきた。

「だって勘ちゃんがいないとつまんないしさ」

と寺島は言うのだった。

一度だけ、寺島がめずらしく一人で河原に佇《たたず》んでいるのを見かけた。霧雨のなか、傘も差さずに川の流れに顔を向けている。

岡田は母親に言いつけられ、醬油《しょうゆ》を買いにいった帰りだった。しばらく見ていても寺島が動こうとしないので、土手を下りて「なにしてんだよ」と声をかけた。

振り返った寺島は、これまためずらしく笑わなかった。湿った髪から雨の滴《しずく》がひとつ落ちた。

「ねえ勘ちゃん。俺、父さんに帰ってって言っちゃったよ」

岡田にはなんのことやらわからなかった。

「せっかく会いにきてくれたのに。でも、でも、母さんがいやがるからさ。もう父さんは来ない。俺が帰れって言ったから。でも俺……」

話はループを描きはじめ、どこでさえぎったものかとまごつくうちに、寺島は声をあげて泣きだした。手放しで泣くおない年の男を見たことがなく、岡田は今度《ど》こそ度肝《ぎも》を抜かれた。

「俺、もう父さんに会えないのかな」

寺島が悲しんでいることは伝わった。岡田はとりあえず寺島に傘を差しかけてやり、いい慰めの言葉を必死で探した。そんなものはどこにもなかった。

寺島の気がすむまで、岡田も雨の河原に立っていた。それから一緒に団地に帰った。

次の日にはもとどおりの寺島が、「か一んちゃん、がっこ行こ!」と岡田の家のチャイムを連打した。

中学に上がり、気恥ずかしくて名字で呼びあうようになっても、岡田と寺島の親交はつづいた。寺島は毎日遊びに誘いにはこなくなったが、アダルトビデオを入手すると必ず持ってきた。岡田の部屋にはお年玉で買った中古のテレビデオがあったからだ。

寺島は熟女ものには感興を覚えず、ナースものは好物のようである。俺も寺島も、そのうちこの町から出るだろう。寺島は父親を探して会いにいくんだろうか。岡田はそんなことをぼんやり考えた。

岡田が童貞を捨てたのは高校一年のときで、相手は町で一軒のコンビニでともにバイトをしていた年上の女だ。話が合ったし、一緒にいて楽しかったので、流れでなんとなくそういうことになった。こういうもんかなと思う一方で、納得がいかない気もした。

話が合って一緒にいて楽しい相手というなら、岡田にとっては寺島もそうだ。寺島だって、たぶん岡田のことをそう思っているだろう。それなのに、女とはセックスし、ずっと長い時間を過ごしてきた寺島とはセックスしないのは、変ではないかと感じた。セックスするか否《いな》かは、結局は性別で決まるのか。だとしたら、一緒にいて楽しいと思う気持ちや過ごした時間にはなんの意味があるのか。

試しにおそるおそる寺島の裸を思い浮かべてみた。それはあくまで幼なじみの男の体だった。興奮できるような気もできないような気もした。抑制が働いているからか、本当になんの興味もないからか、どっちともつかず曖昧《あいまい》だった。

こんなことを考えるのは変ではないかともちろん感じたので、岡田はこの件に関してはあまり考えないようにした。ほかの男や女も、似た考えを抱くものなのかどうか気になったが、だれかに聞けるはずもなかった。

半年ほどつづいた交際は、女が大学に進学するため町を離れたのを機に自然消滅した。女からは何度かメールや電話が来て、岡田も何度かメールや電話を返し、それきりだ。こういうもんかなと岡田はまた思った。

寺島は今年の梅雨時にサヨコと無事に成し遂げたということだ。べつに報告の必要はないのに喜び勇んで報告してきたため知った。

「変な感じはしなかったか」

と岡田は聞いた。

「全然。いい気持ちがした」

と寺島は答えた。

こいつに聞くだけ無駄だったなと思い、

「そうか。ならよかった」

と岡田は言った。寺島は鼻歌まじりで焼きそばパンのラップをはがした。

それからも浮かれているとは思っていたが、秋になったいまもつづいていたとは驚きだ。寺島は人気があるわりにふられやすい。底抜けの馬鹿だからだろう。高校生にもなると、女子の好みは細分化する。あまり能天気に過ぎるのは、友だちのザルには残るが、彼氏枠からはこぼれ落ちることが多い。

　ふられて落ちこむ寺島を慰めるのは、いいかげんうんざりだ。だから、寺島が女とうまくいくなら喜ばしいことのはずである。岡田は自分にそう言い聞かせたし、そのように振る舞ってきた。

　寺島が幼い日に一度だけ見せた悲しみを、何度も何度も思い出す。あのとき雨のなかで、岡田も苦しいほど寺島の悲しみを感じたにもかかわらず、その記憶はなにやら喜びに似た物質に変容している。

　岡田はいつも、寺島に対して肝心な言葉を伝えられないのだ。寺島が求める言葉も、寺島が決して求めないどころか夢にも思いつかないだろう言葉も、すべて岡田のなかで胆石《たんせき》みたいに凝《こご》ったままだ。


「やばい！　すげえやばい！」

　寺島の叫びに、岡田は目を開けた。少しのあいだ寝ていたらしい。文化祭の準備で忙しく、ここ数日は眠りがたりていなかった。

「なんだよ、どうした」

　岡田は身を起こす。体からずり落ちたマットはあいかわらず、乾燥した植物をよじったようなにおいをさせていた。

寺島は狭い体育倉庫のなかを落ち着きなく歩きまわる。手にははちまきの端が握られている。はちまきは白く細い筋となって揺れながら窓の向こうへのびる。外はすっかり暗い。校庭からは音の割れたはやりの曲と歓声が聞こえてくる。

「ああ、もう五時を過ぎたのか」

「そうだよ佐代子きっと怒ってるよ！　そしてもっとやばいことに、岡田！」

「だから、なんだよ」

「俺はしょんべんがしたい」

岡田はマットに座ったまま寺島を見上げた。

「我慢しろ」

「あとちょっとなら」

寺島は腿《もも》のあいだに両手を挟み、ピンクの体を全体的に縮こまらせた。「でもそれ以上は無理！」

「知るか」

「よくそんな冷たいことが言えるよな」

ネコの手がびしりと岡田を指した。着ぐるみの構造上、人差し指だけを立てることができないらしく、空手チョップの形になっている。

「俺は居心地のいいベッドを作ってやっただろ。おまえいまそこでグーグー寝たろ。今度はおまえがトイレを作ってくれてもいいじゃないか。余裕かましたって無駄なんだ。ここで百日暮らすとなったら、おまえも絶対にしょんべんしたくなるときがくるんだから！」

尿意のために錯乱したようだ。

「うしろ向いててやるから、隅っこでしちゃえよ」

「いやだ！」

「耳もふさいでいよう」

「チャックはどうすんだよ、自分では下ろせない」

寺島は腕を曲げて着ぐるみの背中を示す。

「なんとかするんだな」

口早に言い、岡田は寺島に背を向けた。もちろん、寺島に隠れて友人に携帯からSOSメールを打つためだ。本当に隅っこでされたらいやである。

岡田はちらっと振り返り、チャックを下ろそうと悪戦苦闘する寺島を確認してから、素早く携帯を取りだした。

「あー！」

寺島が叫び、岡田は飛びあがった。ばれたのかと意を決して寺島のほうに向き直ると、当の寺島は跳び箱に乗って窓の格子をつかんでいる。

「佐代子！　ちょっとここの鍵開けてくれ！　ていうか、そいつはなんだよ！」

書きかけのメールもそのままに、岡田は携帯をポケットへ戻した。寺島の隣に割りこむように、跳び箱へ上がる。狭くて片足でしか立てなかったが、格子を支えに窓の外を覗いた。

藤女の制服を着た女子生徒と、岡田と同じ制服の男子生徒が、倉庫裏の暗がりから驚いた顔で明かり取りの窓を見上げていた。

これが噂《うわさ》のサヨコか。髪が長く目の大きな女を岡田は眺めた。なるほど、寺島好みのかわいい顔ではある。

「良介、なんでそんなとこにいんの？」

「閉じこめられたんだよ。おまえいま、そこでなにしてた？」

「なにって……」

明かりに向かって微笑《ほほえ》むサヨコは、大変邪悪に美しい。

「良介がちっとも来ないから、このひとに」

とサヨコは傍らに立つ男子生徒をちょっと見た。「内藤《ないとう》さんに、学校内を案内してもらってたんじゃない」

いま胸元の小さな学年章と名札バッジで存在を確定してもらえたばかりの「内藤さん」は、どうも三年生のようだ。少し崩れた雰囲気の内藤は、おもしろそうに寺島とサヨコのやりとりを見守っている。寺島とはタイプがちがうが、なかなか端整な顔である、と岡田は視認した。

「なんでわざわざファイヤーストームから離れて、こんな倉庫の裏を案内されんだよ」

寺島は憤《いきどお》りのせいか尿意を紛らわそうというのか、跳び箱のうえで足踏みした。

「しかもなんでキスしてんだよ、それどんな案内！」

「してないよぉ」

「俺は見た！」

「やだー、良介怒ってる、こわーい」

行こ、とサヨコは内藤をうながす。寺島は「待て待てちょっと待て」と格子から腕を突きだし、岡田は笑っていいのか同情していいのか迷ったすえに、なんとか無表情を保つことに成功した。

「『行こ』じゃねえだろ、『行こ』じゃ！」

「だってなんかゴカイして怒ってるじゃん」

「俺たち、ここに閉じこめられてるって言っただろ。そのまま行く気かよ」

「鍵を開けたら、良介はあたしを怒るつもりでしょ」

「そりゃそうだ」

「じゃ、開けなーい」

サヨコは窓の下を過《よ》ぎっていこうとする。寺島は盛大に腕を振った。

「わかった！　わかった、怒らない。頼むから開けてくれ」

「うそだぁ」

「うそじゃない。なあ、まじで早くして。しょんべん漏れそうなんだって」

哀れな声音に、サヨコは迷ったようであるが、

「やだ。やっぱ良介、ゴカイしてるもん」

と結論づけた。「ばいばい」

内藤は半笑いで寺島を一瞥《いちべつ》し、サヨコのあとに従った。しかし数歩で、窓の下まで引き返してくる。

「なあ」

と内藤は言った。

「なに」

と寺島は憮然《ぶぜん》と返す。岡田の見るところ、泣くのをこらえている様子だ。寺島の頬は屈辱と傷心からひきつっている。

「しょんべんしてえの？」

「したいよ！」

「じゃ、これやるよ」

内藤は持っていたスポーツドリンクのペットボトルを投げあげた。寺島は反射的につかもうとしてネコの手なので果たせず、ペットボトルは地面に落ちた。

「そんなのくれるより、扉を開けてほしいんすけど」

「開けたらおまえ、殴りかかってくるだろう？」

内藤はかがんで拾ったペットボトルを、窓から垂れたはちまきに結んだ。「じゃあな」

岡田は寺島の背中のチャックを下げてやり、気まずい思いで跳び箱を下りた。寺島は鼻をすすりながら、ペットボトルを引きあげているようだ。背を向けた岡田の耳に、ペットボトルに水分が溜《た》まっていく切ない音が響く。

「絶対にこれを佐代子とあの男に飲ませる」

寺島の声は怨念《おんねん》と歯ぎしりに満ちて低い。跳び箱の陰に置かれたペットボトルを視界から巧妙にはずしつつ、岡田は振り返った。

「やめとけって。あの調子だと、サヨコはいままでにも浮気してたぞ。すっぱり忘れりゃ、次の出会いもある」

「岡田ぁ」

寺島は眉《まゆ》を下げた。「ふられまくってやっとできた彼女に、なんでまた俺はふられなきゃなんないの」

なんでと言いたいのは俺のほうだ、と岡田は思った。なんで俺は、こんな場面にタイミング悪く遭遇しなきゃならないんだ。なんでまた、寺島に心にもない慰めを言うはめになるんだ。そして俺は、なんでそれを喜んでるんだ。

「おまえがおひとよしでまぬけだからだろ」

素っ気なさのなかに精一杯の優しさをこめ、しかしべたつくことのないよう気を配る。

ごめんな、寺島。俺はいつもこうだ。友だちのふりをして、友だちじゃない。おまえの幸せを願ったことなんか一度もない。たとえばいつかおまえが結婚しても、俺はなにくわぬ顔でおまえんちに行くだろう。口ではおめでとうと言い、祝いの置き時計かなんかを渡し、おまえの奥さんとも仲良く話しながら、心のなかではおまえの新居じゅうに呪《のろ》いの五寸釘《くぎ》を刺すだろう。別れろ別れろ別れろ。

そんなことを願うのは、岡田だっていやなのである。それでも岡田は寺島宅をこまめに訪ね、幸せオーラで倒れた五寸釘を刺し直さずにはいられないのである。

なんだかなあ。寺島はまだ鼻をすすっている。それを見て岡田のほうこそ泣きたくなった。

泣けないかわりに、寺島がいいやつだってことを、ちゃんとわかる子がいつか現れるといいのになと思う。寺島の未来の結婚生活を呪うのと同じ強さで、岡田はたしかにそうも思っているのだった。不思議なことだ。こんな不思議な感情に、ちゃんと名前があるのが不思議だ。

岡田は寺島の隣にしゃがみ、開いたままの背中のチャックを上げてから、ピンクの毛皮をなだめるように叩いてやった。寺島が肩を震わせているのを感じ、俺は逃げてるんだろうか、と岡田は考える。もしも女を全然抱けなかったら、俺はもっと切実に寺島を求められたのかもしれない。逆に、もしかしたら寺島をいいと思うのは、なにかの錯覚か勘違いなのかもしれない。

しかし岡田は、深く追究するのをやめた。自分の心の底を見るのがまだこわかったし、どれだけ底を見ても心の全容が明らかになるとは思えなかったためである。明確なのはただ、岡田のなかで寺島の幸と不幸は渾然《こんぜん》一体となって、いつでも物狂おしいまでに胸に渦巻いているということだけだった。

岡田と寺島は、再びマットのうえに並んで座った。後夜祭の司会役の生徒が校庭で、「さあ、最後の曲になりました！」とマイクを通して声を張りあげた。

ポケットで岡田の携帯が着信音を奏《かな》でたのはそのときである。

寺島が顔を上げ、「おい、それなんの音」と言った。岡田はぎこちなく携帯を取りだし、通話ボタンを押して「もしもし」と言った。

「やっとつながった。おう、おまえいま、どこにいんの？」

クラスメイトの高揚した声が漏れる。「後夜祭、終わっちゃうよ」

「体育倉庫に閉じこめられた。うん、うん、寺島も一緒だ。開けにきてくれないか？そうか、頼むな」

携帯を閉じてポケットへしまう。寺島が地獄の番人のごときうなり声を発する。

「岡田ぁ！」

「なんだ」

「持ってるじゃねえか、携帯！」

「ああ、持ってたみたいだ」

「みたいじゃないだろ、みたいじゃ！　なに考えてんだ！」

「俺がなに考えてるか知りたいか？」

寺島は岡田をまじまじと眺め、少しひるんだようだった。

「まさかおまえ……」

と寺島は言った。岡田はじっと待った。

「自分は女と別れたのに、俺に彼女がいるんでひがんだのか」

なぜそうなる！　寺島が寄越す見当違いな哀れみの視線を、ひややかにはたき落とした。

「へえ、彼女？　おまえの言う彼女ってのは、さっきこの裏にいたあの子のことか？」

寺島は「ぐあー」と奇声を上げた。

「そうだ忘れてた！　くそー、早くここから出してくれ！」

寺島は扉まで飛んでいって、掌《てのひら》で叩く。

「はいはい、いま開けるって」

扉の向こうから、聞き慣れたクラスメイトの声がした。鍵がまわる。

「ほんとに、なにやってんのおまえら」

苦笑するクラスメイトの横を、寺島が猛然と走り抜けていった。

「佐代子ー！　どういうことか説明しろごるぁ！」

尾を引く雄叫《おたけ》びを残し、ピンクのネコが校庭へ消える。クラスメイトと戸口に立って、岡田は寺島を見送った。

「なんだ、あれ」

「気にするな。助かったよ、ありがとう」

岡田は電気を消し、体育倉庫の扉を閉めた。ペットボトルについては、見て見ぬふりをすることにした。

「鍵を借りにいったら、山《やま》やんが謝ってた。おまえらがいることに全然気づかなかったってさ。なんですぐに電話してこなかったんだよ」

「電波が悪かったんだ」

佐代子はさっさと帰ったらしい。校庭では寺島が吼《ほ》えていた。下校する生徒、たむろする生徒が、「またやってる」と寺島を見て笑う。ファイヤーストームはまだ小さな炎を上げている。

岡田は百日後に倉庫で発見される自分たちを想像した。

「楽しかったなあ、文化祭」

とクラスメイトが言った。

「ああ、楽しかった」

と岡田は言った。

岡田に気づき、寺島が悲愴《ひそう》な顔で駆けよってくる。ひどいんだよ、岡田。佐代子がさあ。

俺はおまえが好きなんだと、岡田がはじめて胸のうちで言葉にしたのは、このときのことである。

初出・収録一覧

「恋愛をテーマにした短編」の依頼が多い。以下、依頼者からあらかじめ提示されたテーマを「お題」、自分で勝手に設定したテーマを「自分お題」と表記する。「お題」または「自分お題」に沿って書いた恋愛短編を集めたのが、本書である。

永遠に完成しない二通の手紙

Timebook Town　二〇〇五年二月一日配信／アンソロジー『Love Letter』（幻冬舎、単行本・文庫）収録
お題：「ラブレター」

裏切らないこと

小説新潮　二〇〇六年三月号
自分お題：「禁忌」

私たちがしたこと

小説新潮　二〇〇五年八月号
自分お題：「王道」

夜にあふれるもの

小説新潮　二〇〇五年三月号
自分お題：「信仰」

骨　片

WEB ダ・ヴィンチ　二〇〇二年二月六日配信／アンソロジー『あのころの宝もの』（メディアファクトリー）収録／アンソロジー『ありがと。あのころの宝もの十二話』（メディアファクトリー、文庫）収録
お題：「あのころの宝もの」

ペーパークラフト
小説新潮　二〇〇六年十月号／アンソロジー『短篇ベストコレクション　現代の小説２００７』（徳間書店、文庫）収録
自分お題：「三角関係」

森を歩く
アンソロジー『結婚貧乏』（幻冬舎、単行本・文庫）収録
お題：「結婚して私は貧乏になった」

優雅な生活
小説新潮　二〇〇七年一月号
自分お題：「共同作業」

春太の毎日
YEBISU BAR　二〇〇五年四月十五日配信／アンソロジー『最後の恋』（新潮社、単行本・文庫）収録
お題：「最後の恋」

冬の一等星
群像　二〇〇六年五月号
自分お題：「年齢差」

永遠につづく手紙の最初の一文
小説新潮　二〇〇七年三月号
自分お題：「初恋」

解説

中村うさぎ

巻末で著者自らが述べているように、この本には、さまざまな形の「恋愛」をテーマにした短編が収められている。それぞれの「お題」を持つ十一篇の恋愛物語。「禁忌」あり、「三角関係」あり、「信仰」もあれば「年齢差」もあり、と、ひとつひとつの恋愛に個性あふれる隠し味が丁寧に仕込まれていて、「むむっ、シェフ、できるな！」といった感じの逸品がフルコースで供される。

しかも、最初の一皿と最後の一皿が同じ素材で作られている、という心憎い演出。口の中で優しくほどける甘さや、キリッと締まった大人のほろ苦さ、キュンとする甘酸《あまず》っぱさなど、色彩豊かな味めぐりを堪能《たんのう》した後に、家に帰り着くように出発点にふわっと着地する、という粋《いき》な趣向だ。こうなったら、食後にナプキンで口を拭《ふ》きつつ、シェフをテーブルに招いて、熱烈な賛辞を浴びせたくもなるってもんだろう。

この解説は、そんな気持ちで書いている。

三浦シェフ、どの皿も、本当に美味《おい》しゅうございました。他人の恋愛物語というものは、ともすれば甘ったるくて食えたものではないのですが、そこはさすがシェフの腕の見せどころ、これほどまでに味わいの妙が施されていれば、普段は決して「恋愛小説」を口にしないこの私ですら、瞬《また》く間にたいらげてしまいました。

一見どこにでもいそうな登場人物たちの人生に刻まれた、およそ凡庸とは言い難い恋愛の数々。それはもう、きらびやかなばかりに個性的な、色とりどりの味わいでした。

が、ひとつひとつがまったく違った味を持ちながらも、じつは、そのほぼすべてに共通しているテーマがひとつあるように、私には思えたのです。いかがでしょう、シェフ？　どの皿にも共通して使われている、ひとつの調味料。

それは、「秘密」ではありますまいか？

そう。ここに収められた物語の主人公あるいは登場人物たちは、一篇（『優雅な生活』）を除き、すべて「秘密」を持っている。

その「秘密」は誰の目にも触れず、言葉にされることもなく、彼らの心の奥に押し花のように密《ひそ》やかにしまい込まれているのだ。そして、読者がページをめくっていくと、その押し花が不意にひらりとこぼれ落ちてきて驚かされる、という仕組みになっている。じつに鮮やかなものだ。

我々は、いきなり膝《ひざ》に舞い落ちてきた押し花をつまみ上げて仔細《しさい》に眺め、その美しさや哀《かな》しさや切なさに胸を打たれる。ああ、そうだったのか……と納得しつつも、長い年月の間に彼らの胸の奥でひっそりと干からびていった「秘密」がかくも艶《あで》やかな色彩を保っていることに感慨を抱き、そっと鼻先に近づけて残り香を嗅《か》いでみたり、壊さないように優しく指先で撫《な》でてみたりするのだ。

この短編集の妙はそこにある、と私は思う。登場人物たちの秘密の押し花を発見し、共有し、その色香をともに慈《いつく》しむ悦《よろこ》び。読者の中には、彼らと同様、心の奥底に密やかに押し花を隠し持つ者もいるだろう。もしかすると、一生忘れていたい秘密かもしれない。でも忘れられずに、その花は薄く薄く干からびて、あなたの人生の一ページに挟まっている。そして、何かの拍子にひらりと紙片の間からこぼれ落ち、あなたの胸を刺すのだ。

わたしを忘れないで、と。

考えてみると「恋愛」の醍醐味《だいごみ》とは、そもそも「秘密」そのものの味わいなのかもしれない。相手に告げられないまま胸に秘めた恋心、恋人以外は誰も知らない二人だけの想《おも》い出《で》、愛しているからこそ決して知られたくない過去……「秘密」はいつも少しだけうしろめたく、それだけに甘美な罪の香りに満ちている。「秘密」は、「罪」だ。そして「恋愛」には、「罪」の隠し味がとてもよく合う。

多くの人が、いけないいけないと思いながらも不倫の泥沼にはまってしまうのは、そこに抗《あらが》い難い「罪」の味わいがあるからだろう。夫や恋人の秘密を、知らないほうが幸せだとわかっていてもほじくりたくなるのは、単に背信への怒りや不安だけではなく、そこから漂う濃厚な「罪」の香りに惹《ひ》き寄せられるせいかもしれない。

身近な人の「秘密」はとてつもなく甘く香り、しかも往々にして、口に含んだ途端に後悔するほど苦くて辛い。この短編集の中の『森を歩く』のように、知って初めて安心するような幸福な「秘密」もあるけれど、そんなのはとても稀有《けう》な例。たいていの場合は、知ってしまった自分を責めたくなるくらい、聖書に出てくる「にがよもぎ」のような恐ろしい味がする。何故《なぜ》なら、それが「罪」の味だからだ。自分の「罪」は甘美だが、他人の「罪」はひたすら苦い。人間とは、そういうものだ。

心の奥にひっそりと挟み込まれた押し花の残り香は、重ねた年月の分だけ、濃厚な「罪」の甘さや苦さが抜け落ちて、ほろほろと儚《はかな》げな郷愁の香りに変わっている。かつてそこにあった鋭い痛みや苦しみも、薄く透き通った花びらのように色褪《いろあ》せて、僅《わず》かな残像がぼんやりとたなびくばかりになっている。そうなって初めて、人はその「秘密」を、己の「罪」を、慈しめるようになるのだろう。

だが、押し花は、決して枯れない。それはべったりと、あなたの人生の裏側に貼《は》り付いている。神がカインの額につけた「罪の印」のように、滲《にじ》んだ血の痕《あと》のように、薄紅《うすあか》い花弁を開いているのだ。二度とそのページを開けるものかと誓っても、記憶の本棚の奥深くしまい込んでも、干からびたままそこに咲き続ける花の存在を消すことはできない。仕方なくその残り香をまとって生きる人は、厳しく美しい陰影を顔に刻んでいるだろう。それが、人生の「隠し味」というものかもしれない。

三浦シェフは、ひとつひとつの皿に、このような隠し味を忍ばせている。がつがつと掻《か》き込まないで、ゆっくりと舌の上で転がすように味わいたい。甘さの陰に隠された苦味、微笑《ほほえ》みの裏に貼りついた渋面、幸福の表皮を剝《は》がすと現れる憎しみ。そして、そのもっともっと奥にある、ひんやりとした「秘密」の舌触り。

シェフといえば、この短編集の中にも、料理人が登場する。彼女の「秘密」は、ひときわ重い。彼女の心の中には、昏《くら》い川の流れと黒い地面が冷え冷えと広がっている。だが、それは同時に、大切な「愛の記憶」でもある。心の襞《ひだ》の間にたたみ込まれた押し花の香りは、このうえなく苦くて甘い。そして、ひときわ美しい。暗闇《くらやみ》に咲く、真っ白な百合《ゆり》の花のようだ。穢《けが》れない一途《いちず》な愛ゆえに咲いた、大輪の罪の花。

このような恋を、私は今までに経験したことがない。私の恋は、すべて毒の花ばかりだ。美しくもなければ、甘くもない。干からびてもなお、禍々《まがまが》しい血の色に似た汁を、紙の裏までじっとりと滲ませている。たまに、ページの間からそいつがぽとりと落ちてくると、思わず悲鳴を上げそうになるくらいだ。やれやれ、私の人生は、だから小説にもならない。煮ても焼いても食えないから、極上のフルコース料理になんかなるはずもない。

さて。すべての皿をたいらげた後、ふと『きみはポラリス』という表題について考えた。普通、短編集の表題は、中に収められた短編のタイトルだったりするものだが(と、私は勝手に思っていたのだが)、この本の中に『きみはポラリス』という名の短編はない。では、著者はわざわざ、この短編集のために『きみはポラリス』というタイトルを考えたのか。
　ポラリスとは、北極星のことであろう。だとすると、表題にもっとも近いタイトルは『冬の一等星』のように思える。十一篇の中で、私が一番好きな作品だ。ただ、この短編には、実際には「北極星」は登場しない。その代わり、次のような美しい一文がある。

「八歳の冬の日からずっと、強く輝くものが私の胸のうちに宿っている。夜道を照らす、ほの白い一等星のように。それは冷たいほど遠くから、不思議な引力をまとっていつまでも私を守っている。」（『冬の一等星』より引用）

　そう、それが「愛」だ。遠い日の「恋」は胸の奥に押し花としてたたみ込まれ、「愛」は夜空の北極星となって、あなたを守り導く。「恋」と「愛」が繋《つな》がってこその「恋愛」。この短編集には、そんな「恋愛」がいくつも煌《きら》めき、我々の心をほのかに照らし続けるのだ。

（平成二十三年一月、作家）

この作品は二〇〇七年五月新潮社より刊行された。

角田光代著

キッドナップ・ツアー

産経児童出版文化賞・路傍の石文学賞受賞

私はおとうさんにユウカイ(=キッドナップ)された! だらしなくて情けない父親とクールな女の子ハルの、ひと夏のユウカイ旅行。

角田光代著

真昼の花

私はまだ帰らない、帰りたくない――。アジアを漂流するバックパッカーの癒しえぬ孤独を描いた表題作ほか「地上八階の海」を収録。

角田光代著

おやすみ、こわい夢を見ないように

もう、あいつは、いなくなれ……。いじめ、不倫、逆恨み。理不尽な仕打ちに心を壊された人々。残酷な「いま」を刻んだ7つのドラマ。

角田光代著

さがしもの

「おばあちゃん、幽霊になってもこれが読みたかったの?」運命を変え、世界につながる小さな魔法「本」への愛にあふれた短編集。

角田光代著

しあわせのねだん

私たちはお金を使うとき、べつのものも確実に手に入れている。家計簿名人のカクタさんがサイフの中身を大公開してお金の謎に迫る。

角田光代著

予定日はジミー・ペイジ

妊娠したのに、うれしくない。私って、母性欠落? 運命の日はジミー・ペイジの誕生日。だめ妊婦かもしれない〈私〉のマタニティ小説。

きみはポラリス

新潮文庫　み－34－10

平成二十三年三月一日発行

著者　三《み》浦《うら》しをん

発行者　佐藤隆信

発行所　株式会社　新潮社

郵便番号　一六二―八七一一
東京都新宿区矢来町七一
電話　編集部(〇三)三二六六―五四四〇
　　　読者係(〇三)三二六六―五一一一
http://www.shinchosha.co.jp

価格はカバーに表示してあります。

乱丁・落丁本は、ご面倒ですが小社読者係宛ご送付ください。送料小社負担にてお取替えいたします。

印刷・大日本印刷株式会社　製本・憲専堂製本株式会社

ISBN978-4-10-116760-2　C0193